D0187990

Rosamunde Pilcher wurde 1924 in Lelant, Cornwall, geboren. Nach Tätigkeiten beim Foreign Office und, während des Kriegs, beim Women's Royal Naval Service heiratete sie 1946 Graham Pilcher und zog nach Dundee, Schottland, wo sie seither wohnt. Rosamunde Pilcher schreibt seit ihrem fünfzehnten Lebensjahr. Ihr Werk umfaßt bislang zwölf Romane, zahlreiche Kurzgeschichten und ein Theaterstück.

Von Rosamunde Pilcher erschienen außerdem: «Stürmische Begegnung» (rororo Nr. 12960), «Schlafender Tiger» (rororo Nr. 12961), «Sommer am Meer» (rororo Nr. 12962), «Karussell des Lebens» (rororo Nr. 12972), «Lichterspiele» (rororo Nr. 12973), «Wechselspiel der Liebe» (rororo Nr. 12999), «Die Muschelsucher» (Wunderlich 1990), «September» (Wunderlich 1991; auch als rororo Nr. 13370), «Blumen im Regen» (Wunderlich 1992) und «Wilder Thymian» (Wunderlich 1993). In der Reihe Großdruck liegen (ab Mai 94) vor: «Karussell des Lebens» (Nr. 33100), «Lichterspiele» (Nr. 33101) und «Sommer am Meer» (Nr. 33102).

Rosamunde Pilcher

Schneesturm im Frühling

Roman

Deutsch von Christiane Buchner

Rowohlt

Die Originalausgabe erschien unter dem Titel
«Snow in April» bei St. Martin's Press, New York

341.–390. Tausend Februar 1994

Deutsche Erstausgabe
Veröffentlicht im Rowohlt Taschenbuch Verlag GmbH,
Reinbek bei Hamburg, März 1993
Copyright © 1993 by Rowohlt Taschenbuch Verlag GmbH,
Reinbek bei Hamburg
«Snow in April» Copyright © 1972 by Rosamunde Pilcher
Alle deutschen Rechte vorbehalten
Foto der Autorin auf Seite 2 Copyright © by Richard Imrie
Umschlaggestaltung Barbara Hanke
(Illustration Birgit Schössow)
Satz Garamond (Linotronic 500)
Gesamtherstellung Clausen & Bosse, Leck
Printed in Germany
990-ISBN 3 499 12998 1

1

In parfümierten Dampf ge-
hüllt, die Haare in einer Badehaube nach oben gedreht, lag
Caroline Cliburn träge in der Badewanne und hörte Radio.
Das Bad war groß – wie alle Zimmer in diesem großzügigen
Haus. Ursprünglich diente es als Ankleidezimmer, aber
Diana hatte schon vor langer Zeit bestimmt, daß man Ankleidezimmer heutzutage weder nutzte noch brauchte, hatte es
ausgeräumt, Klempner und Schreiner bestellt und es mit rosa
Porzellan, einem flauschigen weißen Teppich und bodenlan-
gen Chintzvorhängen ausstaffiert. Am Kopfende der Wanne
stand ein niedriger Glastisch mit Badesalzen, Zeitschriften
und großen rosa Seifenkugeln, die nach Rosen dufteten. Und
Rosen zierten ebenso die französischen Badetücher und die
Bademattte, auf der jetzt Carolines Morgenrock, ihre Hausschuhe, das Radio und ein Buch ruhten, das sie angelesen und
dann weggelegt hatte.

Im Radio lief ein Walzer. Eins-zwei-drei, eins-zwei-drei
schmachteten die Geigen und riefen Bilder von Palmengärten
wach, mit Herren in weißen Handschuhen und alten Damen
auf vergoldeten Gartenstühlen, die im Takt zu der hübschen
Melodie mit den Köpfen nickten.

Ich ziehe das neue Kostüm an, dachte sie. Und dann fiel ihr
ein, daß einer der Goldknöpfe von der Jacke abgesprungen
und inzwischen aller Wahrscheinlichkeit nach verlorenge-
gangen war. Man konnte den Knopf natürlich ohne weiteres
suchen, eine Nadel einfädeln und ihn annähen. Das Unternehmen würde keine fünf Minuten in Anspruch nehmen,
doch noch einfacher war es, gar nicht erst anzufangen, son-

dern lieber den türkisen Kaftan oder das schwarze lange Samtkleid anzuziehen, in dem sie laut Hugh aussah wie Alice im Wunderland.

Das Wasser kühlte allmählich ab. Sie drehte mit der Zehe den Warmwasserhahn auf und nahm sich vor, um halb acht aus der Wanne zu steigen, sich abzutrocknen, Make-up aufzulegen und nach unten zu gehen. Dann kam sie zwar zu spät, aber das machte nichts. Die anderen würden alle, um den Kamin gruppiert, auf sie warten: Hugh in dem Samtsmoking, den sie insgeheim verabscheute, und Shaun mit seinem scharlachroten Kummerbund um den Bauch. Die Haldanes waren vermutlich auch schon da; Elaine, sicher längst bei ihrem zweiten Martini, Parker mit seinem vielsagenden Blick sowie die Ehrengäste, Shauns Geschäftspartner aus Kanada, Mr. und Mrs. Verkniffen-und-Dröge. Nach geziemender Frist würde man sich dann zum Essen begeben, zu Schildkrötensuppe und dem französischen Wildeintopf, mit dessen Zubereitung Diana den ganzen Vormittag beschäftigt gewesen war, gefolgt von einem sensationellen Nachtisch, der wahrscheinlich flambiert und unter lauten Ooohs und Aaahs und «Liebste Diana, wie machen Sie das bloß?» aufgetragen werden würde.

Bei dem Gedanken an all die Speisen wurde ihr wie üblich schlecht. Es war schon seltsam. Magenverstimmung leisteten sich doch sonst nur steinalte oder gefräßige Leute, höchstens noch Schwangere, und Caroline mit ihren zwanzig Jahren gehörte zu keiner dieser Gruppen. Sie fühlte sich auch nicht richtig krank, bloß nie so ganz gesund. Vielleicht sollte sie vor nächstem Dienstag – nein, Dienstag in einer Woche – zum Arzt gehen. Sie stellte sich vor, wie sie ihr Leiden zu beschreiben versuchte. *Ich heirate bald, und mir ist die ganze Zeit schlecht.* Sein väterliches, verständnisvolles Lächeln sah sie bereits vor sich. *Die Aufregung vor der Hochzeit, das ist ganz natürlich, ich gebe Ihnen ein Beruhigungsmittel…*

Der Walzer verklang diskret, und dann meldete sich der Nachrichtensprecher. Halb acht. Mit einem Seufzer setzte Caroline sich auf, zog den Stöpsel heraus, bevor sie der Versuchung erliegen konnte, sich noch länger zu aalen, und stieg auf die Badematte. Sie drehte das Radio aus, trocknete sich flüchtig ab, zog sich den Morgenrock über und trottete in ihr Schlafzimmer, wobei sie auf dem mattweißen Teppich nasse Fußstapfen hinterließ. Dann setzte sie sich an die altmodische Frisierkommode, nahm die Badehaube ab und betrachtete ohne rechte Begeisterung ihr dreifaches Spiegelbild. Sie hatte langes, glattes hellblondes Haar, das seidig glänzend ihr Gesicht einrahmte. Es war kein nach üblichen Maßstäben hübsches Gesicht; die Wangenknochen waren zu hoch, die Nase zu stumpf, der Mund zu breit. Sie wußte genau, daß sie sowohl grauenhaft als auch sehr gut aussehen konnte. Nur ihre weit auseinanderstehenden dunkelbraunen Augen mit den dichten Wimpern fielen immer auf – sogar jetzt, müde wie sie war.

(Sie mußte an Drennan denken und an etwas, das er vor langer Zeit einmal zu ihr gesagt hatte, während er beide Hände an ihren Kopf legte und ihr Gesicht zu sich anhob. «Wie kommt es bloß, daß du so ein Lausbubengrinsen hast und dabei die Augen einer Frau? Noch dazu einer verliebten Frau.» Sie hatten vorn in seinem Auto gesessen, draußen war es stockdunkel gewesen, und es hatte geregnet. Sie konnte sich an das Rauschen des Regens erinnern, an das Ticken der Uhr am Armaturenbrett und an die Berührung seiner Hände, doch es kam ihr wie eine Episode aus einem Buch oder einem Film vor, etwas, bei dem sie zugesehen hatte, ohne beteiligt zu sein.)

Unvermittelt griff sie nach ihrem Make-up-Pinsel, band die Haare zu einem Pferdeschwanz hoch und begann mit dem Make-up. Während sie noch mit der Wimperntusche hantierte, kamen Schritte, gedämpft durch den dicken Teppich, den Korridor entlang und blieben vor ihrer Tür stehen. Es klopfte sacht.

«Ja?»

«Darf ich reinkommen?» Es war Diana.

«Klar.»

Ihre Stiefmutter war bereits in Abendgarderobe, ganz in Weiß und Gold, das graublonde Haar zu einer Muschel geschlungen und mit einer Goldnadel durchspießt. Sie war wie immer schön, schlank, groß und unglaublich elegant. Die blauen Augen wurden von einem braunen Teint zur Geltung gebracht, den sie sich durch regelmäßige Sitzungen unter der Höhensonne erhielt. Caroline beneidete sie darum, daß sie im Skianzug oder in Tweedsachen genauso gut aussah wie jetzt, da sie sich für eine höchst förmliche Einladung zurechtgemacht hatte.

«Caroline, du bist ja nicht mal halbwegs fertig!»

Caroline setzte zu komplizierten Prozeduren mit der Wimpernbürste an.

«Bin gleich soweit. Du weißt doch, wie schnell ich sein kann, wenn ich erst mal angefangen habe.» Sie fügte hinzu: «Wahrscheinlich das einzig wirklich Praktische, was ich an der Schauspielschule gelernt habe: Mich in einer Minute fix und fertig zu schminken.»

Diese Bemerkung war gedankenlos dahingesagt, und Caroline bereute sie sofort. Die Schauspielschule war, was Diana betraf, noch immer verbotenes Terrain, und bei der bloßen Erwähnung des Wortes fuhr sie sofort die Stacheln aus. «Dann waren ja deine beiden Jahre dort wenigstens nicht vollkommen vergeudet», sagte sie kühl. Als Caroline vor Schreck keine Antwort gab, wurde ihr Ton etwas milder. «Jedenfalls hast du noch Zeit. Hugh ist zwar schon da, Shaun macht ihm gerade einen Drink, aber die Lundstroms kommen

8

ein bißchen später. Linda hat von Connaught aus angerufen, John sei bei einer Konferenz aufgehalten worden.»

«Lundstrom. Ich wußte den Namen nicht mehr. Bei mir hießen sie die Verkniffen-und-Dröges.»

«Sei nicht ungerecht. Du kennst sie doch gar nicht.»

«Kennst du sie denn?»

«Jawohl, und sie sind sehr nett.»

Sie begann, betont hinter Caroline herzuräumen, ging von hier nach da, stellte Schuhe nebeneinander, legte einen Pullover zusammen, hob das feuchte Badetuch auf, das mitten auf dem Boden lag, und trug es ins Bad. Dort spülte sie, für Caroline deutlich hörbar, das Waschbecken aus und öffnete den Spiegelschrank – bestimmt, um den Deckel wieder auf das Handcremetöpfchen zu schrauben.

«Diana, worüber konferiert Mr. Lundstrom eigentlich?» rief Caroline hinüber.

«Hm?» Diana tauchte wieder auf, und Caroline wiederholte ihre Frage.

«Er ist Bankier.»

«Hat er was mit diesem neuen Geschäft von Shaun zu tun?»

«Allerdings. Er finanziert es. Deshalb ist er ja nach England gekommen, um die letzten Details zu klären.»

«Dann müssen wir also fürchterlich charmant und manierlich sein.» Caroline stand auf, ließ den Morgenrock fallen und machte sich auf die Suche nach einem passenden Kleidungsstück.

Diana setzte sich auf den Bettrand. «Fällt dir das so schwer? Caroline, du bist entsetzlich dünn. Wirklich zu dünn, du solltest mal versuchen, ein bißchen zuzunehmen.»

«Ach was.» Sie suchte sich aus einer überquellenden Schublade Unterwäsche zusammen und zog sie an. «Ich bin eben so gebaut.»

«Unsinn. Man sieht ja alle deine Rippen. Du ißt auch wie ein Spatz. Das ist sogar Shaun neulich aufgefallen, und du weißt, wie blind er sonst durch die Gegend läuft.» Caroline zog eine Seidenstrumpfhose an. «Und dein Teint ist so ungesund, so blaß. Als ich vorhin hereinkam, bin ich richtig erschrocken. Vielleicht solltest du mal Eisen nehmen.»

«Kriegt man davon nicht schwarze Zähne?»

«Wo hast du denn dieses Ammenmärchen her?»

«Vielleicht hat es ja was mit dem Heiraten zu tun. Daß man hundertdreiundvierzig Dankesbriefe schreiben muß.»

«Sei nicht undankbar... ach, übrigens, Rose Kintyre rief an und wollte wissen, was sie dir schenken könnte. Ich habe ihr die Sektgläser vorgeschlagen, die du in der Sloane Street gesehen hast, weißt du, die mit den eingravierten Initialen. Was ziehst du denn heute abend an?»

Caroline öffnete den Schrank und nahm das erstbeste Kleid heraus – zufälligerweise das schwarze Samtkleid. «Das da?»

«O ja, das liebe ich sehr. Aber dazu müßtest du dunkle Strümpfe tragen.»

Caroline hängte es wieder zurück und nahm das nächste heraus. «Dann das?» Der Kaftan, zum Glück nicht das Kostüm.

«Ja. Ganz reizend. Mit den goldenen Ohrringen.»

«Die habe ich verloren.»

«Doch nicht die, die dir Hugh geschenkt hat?»

«Nicht richtig verloren, bloß verlegt. Ich habe sie irgendwo hingelegt, aber ich weiß nicht mehr wo. Mach dir keine Gedanken.» Sie warf sich die türkise, federleichte Seide über den Kopf. «Ohrringe sieht man bei mir sowieso nicht, außer wenn ich eine richtige Frisur habe.» Sie begann, die winzigen Knöpfe zuzuknöpfen. «Wo ißt denn Jody heute zu Abend?»

10

«Bei Katy, im Keller. Ich habe ihm gesagt, daß er gern mit uns essen kann, aber er will lieber den Western im Fernsehen sehen.»

Caroline machte ihr Haar auf und bürstete es glatt. «Ist er jetzt unten?»

«Ich glaube schon.»

Caroline sprühte sich mit dem erstbesten Duft, der ihr zwischen die Finger geriet, großzügig ein. «Wenn es dir nichts ausmacht, sage ich ihm erst noch gute Nacht.»

«Bleib nicht zu lang. Die Lundstroms sind in zehn Minuten hier.»

«Keine Sorge.»

Gemeinsam gingen sie nach unten. Als sie mitten auf der Treppe standen, ging die Wohnzimmertür auf und Shaun Carpenter erschien, mit einem roten, apfelförmigen Eiskübel in der Hand, dessen Deckel ein goldener, zu einem Griff gebogener Stiel entsproß. Er hob den Kopf und erblickte die beiden.

«Kein Eis mehr», erklärte er, riß dann plötzlich die Augen auf wie ein Komiker, der erst zweimal hinsieht, bevor er reagiert, und blieb mitten in der großen Diele stehen. «Na, wenn ihr beiden nicht phantastisch ausseht! Wirklich, zwei wunderschöne Frauen.»

Shaun war Dianas Mann und Carolines... nun, sie wechselte die Bezeichnungen. «Der Mann meiner Stiefmutter», sagte sie manchmal. Oder «mein Stief-Stiefvater». Oder einfach «Shaun».

Er war seit drei Jahren mit Diana verheiratet, kannte und verehrte sie jedoch schon viel länger, wie er gern aller Welt erzählte.

«Kannte sie schon damals», sagte er dann. «Dachte, ich hätte die ganze Sache unter Dach und Fach, aber dann fuhr sie auf die griechischen Inseln, um sich ein Grundstück zu kaufen, und als nächstes kriege ich einen Brief von ihr, daß sie diesen komischen Architekten – Gerald Cliburn – kennengelernt und geheiratet hätte. Arm wie eine Kirchenmaus, Vater von drei Kindern und ein Bohemien, wie er im Buche steht. Mich hat fast der Schlag getroffen.»

Er blieb ihrem Andenken jedoch aus der Ferne treu, und da er von Natur aus ein erfolgreicher Mensch war, machte er aus seiner Rolle als professioneller Junggeselle ebenfalls einen Erfolg und spielte ganz den älteren, gebildeten Gentleman, der bei Londoner Gastgeberinnen sehr gefragt war und seinen Terminkalender ständig auf Monate hinaus mit gesellschaftlichen Verpflichtungen gefüllt hatte.

Sein Junggesellenleben war also bestens organisiert und überaus angenehm. Als Diana Cliburn verwitwet und mit zwei Stiefkindern im Schlepptau nach London zurückkehrte und ihr Haus wieder bezog, um die alten Fäden aufzunehmen und ein neues Leben zu beginnen, fragte man sich deshalb allseits, was Shaun Carpenter nun wohl zu unternehmen gedachte. Hatte er sich zu tief in seinem behaglichen Junggesellenbau eingegraben? Würde er – selbst wenn es wegen Diana war – seine Unabhängigkeit aufgeben und sich mit dem stumpfsinnigen Leben als normaler Familienvater abfinden? Die Londoner Klatschbörse bezweifelte das stark.

Doch der Klatsch hatte die Rechnung ohne Diana gemacht. Sie kehrte von Aphros schöner und begehrenswerter denn je zurück, falls das überhaupt möglich war; mittlerweile hatte sie ihren zweiunddreißigsten Geburtstag hinter sich und war auf dem Höhepunkt ihrer Attraktivität angelangt. Shaun, der ihre Freundschaft behutsam wieder aufleben ließ, war innerhalb von Tagen schachmatt; nach einer Woche hielt er um ihre Hand an, und dann wiederholte er seinen Antrag regelmäßig alle acht Tage, bis sie schließlich einwilligte.

Die erste ihm zugewiesene Aufgabe bestand darin, Caroline und Jody die Neuigkeit höchstpersönlich beizubringen. «Ich kann kein Vater sein», hatte er gesagt, während er wie ein Tiger auf dem Wohnzimmerteppich auf und ab lief und ihm unter ihren wachen und eigenartig ähnlichen Blicken warm in der Kragengegend wurde. «Wüßte überhaupt nicht, wie man das macht. Aber ihr sollt wissen, daß ich euch immer zur Verfügung stehe, als Vertrauter oder möglicher Geldgeber... schließlich ist das ja euer Zuhause... und ich möchte, daß ihr euch hier...»

Er wurstelte weiter, während er insgeheim Diana verwünschte, weil sie ihn in diese peinliche Lage gebracht hatte, statt abzuwarten, bis sich sein Verhältnis zu Caroline und Jody langsam und auf natürliche Weise entwickelte. Aber Diana hatte eben ein ungeduldiges Naturell, sie schätzte klare Verhältnisse und haßte es, Dinge aufzuschieben.

Jody und Caroline musterten ihn durchaus wohlwollend, ohne jedoch irgend etwas zu sagen, was ihn aus seiner Verlegenheit befreit hätte. Sie mochten Shaun Carpenter, erkannten aber mit dem klaren Blick der Jugend, daß Diana ihn bereits fest unter der Fuchtel hatte. Im übrigen bezeichnete er Milton Gardens als ihr Zuhause, während für sie «zu Hause» doch von jeher und bis in alle Ewigkeit ein großer weißer Zuckerwürfel hoch über der marineblauen Ägäis darstellte. Doch der war verloren, spurlos versunken in der Wirrnis der Vergangenheit. Was Diana zu tun beliebte, wen sie nun zu heiraten gedachte, ging sie im Grunde nichts an. Wenn sie jedoch unbedingt heiraten mußte, dann durfte es ihretwegen gern der großzügige, nette Shaun sein.

Als Caroline nun an ihm vorbei wollte, trat er zur Seite, zuvorkommend, im gestärkten Hemd und ein wenig lächerlich mit seinem Eiskübel, den er vor sich hertrug, als wollte er den Gästen daraus etwas anbieten. Er roch nach *Brut* und frischer Wäsche, und Caroline mußte an das oft stoppelige Kinn ihres Vaters denken und an die blauen Arbeitshemden, die er am liebsten direkt von der Wäscheleine anzog, ohne daß sie auch nur in die Nähe eines Bügeleisens gekommen wären. Sie mußte auch daran denken, wie oft Diana und er sich zum Spaß ausgiebig und hingebungsvoll gestritten hatten, wobei ihr Vater fast immer gewann, und wieder einmal fragte sie sich verwundert, wie eine Frau zwei so grundverschiedene Männer heiraten konnte.

In den Keller, in Katys Domäne, hinunterzusteigen, war wie eine Reise in eine andere Welt. Oben herrschten die Pastellteppiche, die Kerzenleuchter und die schweren Samtvorhänge, unten war alles bunt zusammengewürfelt, unkompliziert und fröhlich. Linoleum mit Schachbrettmuster konkurrierte mit leuchtend farbigen Teppichen, Vorhänge hatten Zickzack- und Blättermuster, jedwede waagrechte Fläche trug ihren Anteil an Fotos, bemalten Muscheln, Aschenbechern aus längst vergessenen Ferienorten und Vasen voller Plastikblumen. Ein Feuer brannte rötlich im Kamin, und davor saß – zusammengerollt in einem alten Lehnstuhl, die Augen auf den flackernden Bildschirm geheftet – Carolines Bruder Jody.

Er trug Jeans und einen dunkelblauen Rollkragenpullover, ramponierte Stiefel und aus unerfindlichen Gründen eine alte Seglermütze, die ihm diverse Nummern zu groß war. Als sie hereinkam, blickte er auf, um dann sofort wieder auf den Bildschirm zu starren, damit er keine Sekunde der Handlung verpaßte.

Caroline schob ihn zur Seite und setzte sich neben ihn in den Sessel. Nach einer Weile fragte sie: «Wer ist das Mädchen?»

«Ach, die ist blöd. Die will immer bloß küssen. Wieder so einer von diesen komischen Filmen.»

«Dann mach doch aus.»

Er überlegte, befand die Idee für akzeptabel und kletterte aus dem Sessel, um das Gerät abzuschalten. Mit einem leisen Seufzer ging der Fernseher aus. Jody stand da und sah seine Schwester an.

Er war elf; ein gutes Alter, aus den Kinderschuhen heraus, aber noch nicht hochaufgeschossen, launisch und verpickelt. Er sah Caroline so ähnlich, daß jeder Fremde die beiden auf den ersten Blick für Geschwister hielt, doch während Caroline blond war, hatte Jody so hellbraunes Haar, daß es fast rötlich wirkte, und während sich die Sommersprossen bei ihr auf einen Hauch quer über dem Nasenrücken beschränkten, überzogen sie bei Jody wie Konfetti Rücken, Schultern und Arme. Er hatte graue Augen; und wenn er lächelte, was nicht schnell geschah, dann aber entwaffnend wirkte, sah man Vorderzähne, die für sein Kindergesicht zu groß waren und etwas schief standen, als ob sie drängeln müßten, um sich Platz zu schaffen.

«Wo ist Katy?» fragte Caroline.

«Oben in der Küche.»

«Hast du schon zu Abend gegessen?»

«Ja.»

«Das gleiche, was wir kriegen?»

«Von der Suppe hab ich was gegessen. Aber das andere Zeug mochte ich nicht, deshalb hat Katy mir Spiegeleier mit Speck gemacht.»

«Hätt ich auch viel lieber gegessen. Hast du Shaun und Hugh schon begrüßt?»

«Ja, ich bin kurz rauf.» Er schnitt eine Grimasse. «Die Haldanes sind eingeladen, Pech für dich.»

Sie grinsten verschwörerisch. Ihre Ansichten über die Haldanes stimmten weitgehend überein. «Wo hast du denn die Mütze her?» fragte Caroline.

Er hatte ganz vergessen, daß er die Mütze aufgesetzt hatte, nahm sie ab und schaute sie verlegen an. «Die hab ich vorhin gefunden, in der alten Kleiderkiste im Kinderzimmer.»

«Sie hat Papa gehört.»

«Mhm. Das hab ich mir gedacht.»

Caroline beugte sich vor und nahm sie ihm aus der Hand. Die Mütze war schmutzig und verbeult, hatte Salzflecken, und das Abzeichen hing nur noch lose an ein paar Fäden. «Die hat er zum Segeln aufgesetzt. Er hat immer gesagt, wenn er sich ordentlich anzieht, ist er selbstbewußter, denn wenn ihm dann einer dumm kommt, weil er was falsch gemacht hat, dann kann er richtig zurückschimpfen.» Jody grinste. «Kannst du dich noch erinnern, daß er manchmal solche Sachen gesagt hat?»

«Bloß an ein paar», sagte Jody. «Aber ich weiß noch, daß er uns *Rikki Tikki Tavi* vorgelesen hat.»

«Du warst ja noch ganz klein, erst sechs. Aber so was weißt du noch.» Er grinste noch einmal. Caroline stand auf und setzte ihm die alte Mütze wieder auf. Der Schirm hing ihm quer übers Gesicht, so daß sie sich bücken mußte, um ihm einen Kuß zu geben.

«Gute Nacht», sagte sie.

«Gute Nacht», sagte Jody, ohne sich zu rühren.

Eigentlich wäre sie am liebsten bei ihm geblieben. Am Treppenabsatz drehte sie sich noch einmal um. Unter dem Schirm der lächerlichen Mütze sah er sie forschend an, und irgend etwas in seinem Blick veranlaßte sie nachzufragen.

«Was hast du denn?»

«Nichts.»

«Also dann bis morgen.»

«Mhm», sagte Jody. «Klar. Gute Nacht.»

Die Wohnzimmertür war wieder geschlossen, dahinter hörte man Stimmengewirr, und Katy war damit beschäftigt, einen dunklen Pelzmantel in den Garderobenschrank an der Haustür zu hängen. Die Haushälterin trug als Zugeständnis an die Formalität einer Abendgesellschaft eine geblümte Schürze über ihrem kastanienbraunen Kleid. Als Caroline plötzlich auftauchte, schreckte sie theatralisch zusammen.

«Hach, haben Sie mich aber erschreckt.»

«Wer ist da gekommen?»

«Mr. und Mrs. Haldane.» Sie machte eine energische Kopfbewegung. «Sie sind schon da drin. Gehn Sie mal lieber rein, Sie sind sowieso spät dran.»

«Ich war bei Jody.» Um der Gesellschaft noch einen Augenblick zu entgehen, blieb sie bei Katy stehen, lehnte sich ans Treppengeländer und schwelgte in der Vorstellung, wie himmlisch es wäre, jetzt wieder nach oben zu gehen, sich ins Bett zu legen und ein gekochtes Ei gebracht zu bekommen.

«Sieht er immer noch diesen Indianerfilm?»

«Ich glaube nicht. Da war ihm zu viel Küsserei drin.»

Katy schnitt eine Grimasse. «Küsserei ist allemal besser als Schießerei, sag ich immer.» Sie schloß die Schranktür. «Mir ist es lieber, sie fangen an zu fragen, was es damit so auf sich hat, als daß sie hergehen und alten Muttchen mit deren eigenem Regenschirm eins überbraten.»

Mit dieser aufschlußreichen Bemerkung zog sie sich wieder in ihre Küche zurück. Caroline, die nun allein dastand und beim besten Willen keine Entschuldigung für eine weitere Verspätung fand, trottete durch die Diele, straffte die Schultern, setzte ein strahlendes Lächeln auf und öffnete die Wohnzimmertür. (Fürs Leben gelernt hatte sie an der Schauspielschule nämlich auch, wie man seinen Auftritt wirkungsvoll in Szene setzte.) Das Stimmengewirr verebbte, und jemand sagte: «Da kommt Caroline.»

Dianas Wohnzimmer in Festbeleuchtung machte so viel her wie das beste Bühnenbild. An den drei hohen Fenstern, aus denen man auf den ruhigen Platz hinausblickte, hingen helle, mandelgrüne Samtvorhänge; die Einrichtung bestand aus weichen, tiefen Sofas in Rosa und Beige, einem beigen Teppich und, wunderbar zu den alten Bildern, den Chippendale- und Nußbaumschränkchen passend, einem modernen italienischen Eßtisch aus Chrom und Glas. Überall standen Blumen; diverse köstliche und teure Düfte durchzogen den Raum: ein Hauch von Hyazinthen, «Madame Rochas» und Schwaden von Shauns Havannazigarren.

Genau wie Caroline es sich vorgestellt hatte, stand man mit Drinks in der Hand um den Kamin. Noch bevor sie die Tür hinter sich geschlossen hatte, stellte Hugh schon sein Glas ab und kam quer durchs Zimmer geeilt, um sie zu begrüßen.

«Mein Schatz.» Er faßte sie mit beiden Händen an den Schultern, beugte sich hinunter und gab ihr einen Kuß. Dann warf er einen Blick auf seine flache goldene Armbanduhr, wobei eine üppige, gestärkte weiße Manschette zum Vorschein kam, die mit einem Goldkettchen zusammengehalten wurde. «Du kommst zu spät.»

«Aber die Lundstroms sind doch noch gar nicht da.»

«Wo warst du denn?»

«Bei Jody.»

«Na, dann sei dir noch mal verziehen.»

Er war groß, viel größer als Caroline, schlank und dunkel und hatte eine beginnende Stirnglatze, die ihn älter wirken ließ als dreiunddreißig. Tatsächlich trug er den dunkelblauen Samtsmoking, dazu ein vornehmes Hemd mit dezenten Spitzenstreifen; die Augen unter den markanten Brauen waren dunkelbraun, und im Moment lag eine Mischung von Belustigung, Verzweiflung und einer gewissen Portion Stolz darin.

Den Stolz sah Caroline mit Erleichterung. Hugh Rashleys

Erwartungen mußte man erst einmal entsprechen, und sie verbrachte die meiste Zeit damit, sich ihm gegenüber ausgesprochen minderwertig zu fühlen. Ansonsten war er als zukünftiger Ehemann höchst annehmbar: erfolgreich in seinem Wunschberuf als Börsenmakler und phantastisch lieb und rücksichtsvoll, wenn er auch bisweilen unnötig viel von sich und seinen Mitmenschen verlangte. Doch das war vielleicht nicht anders zu erwarten, es lag wohl in der Familie, und immerhin war er ja Dianas Bruder.

Da Parker Haldane sich ungeniert zu hübschen jungen Frauen hingezogen fühlte und Caroline als solche zählen durfte, verhielt Elaine Haldane sich ihr gegenüber zumeist etwas kühl. Was Caroline nicht unnötig bekümmerte: Zum einen sah sie Elaine nicht oft, da die Haldanes in Paris wohnten, wo Parker die französische Zweigstelle einer großen amerikanischen Werbeagentur leitete. Die beiden kamen nur alle zwei, drei Monate nach London – wie eben jetzt. Zum anderen mochte sie Elaine nicht besonders – bedauerlicherweise, denn Elaine und Diana waren ein Herz und eine Seele. «Warum mußt du bei Elaine immer so gelangweilt tun?» fragte Diana in regelmäßigen Abständen, und Caroline hatte gelernt, die Achseln zu zucken und sich zu entschuldigen, da genauere Erklärungen nur zu leicht in Kränkungen ausarteten.

Elaine war eine gutaussehende, vornehme Frau mit einem leichten Hang zur übertriebenen Toilette, was selbst das Leben in Paris ihr nicht hatte abgewöhnen können. Sie konnte auch höchst amüsant plaudern, doch Caroline hatte aus bitterer Erfahrung gelernt, daß sich in ihren geistreichen Bemerkungen oft spitze Stacheln gegen Freunde und Bekannte verbargen, die zufälligerweise gerade nicht anwesend waren. Es machte keinen Spaß, ihr zuzuhören, denn man wußte nie, welchen Kommentar sie über einen selbst in petto hatte.

Parker dagegen konnte man eigentlich nicht ernst nehmen. «Sie wunderschönes Geschöpf.» Er hielt inne, um formvollendet knapp über Carolines Handrücken einen Kuß anzudeuten. Fehlte bloß noch, daß er die Hacken zusammenschlug. «Warum müssen Sie uns immer warten lassen?»

«Ich habe Jody noch gute Nacht gesagt.» Sie wandte sich seiner Frau zu. «Guten Abend, Elaine.» Die beiden Frauen legten Wange an Wange und schnalzten Küsse in die Luft.

«Hallo, meine Liebe. Was für ein hübsches Kleid!»

«Danke.»

«Diese losen Dinger tragen sich so angenehm…» Sie zog an ihrer Zigarette und blies eine große Rauchwolke aus. «Ich habe Diana gerade von Elizabeth erzählt.»

Caroline sank der Mut, doch sie fragte höflich: «Was gibt es denn Neues von Elizabeth?» und wartete auf die Mitteilung, daß Elizabeth verlobt sei, daß Elizabeth beim Aga Khan gewesen sei, daß Elizabeth in New York als Mannequin für *Vogue* arbeite. Elizabeth war Elaines Tochter aus erster Ehe und etwas älter als Caroline, doch obwohl Caroline manchmal das Gefühl hatte, über Elizabeth mehr zu wissen als über sich selbst, hatten sich die beiden nie kennengelernt. Elizabeth pendelte zwischen beiden Elternteilen hin und her – der Mutter in Paris und dem Vater in Schottland –, und in den seltenen Fällen, da sie in London auftauchte, war Caroline unweigerlich verreist.

Nun versuchte sie, sich an die jüngsten Neuigkeiten über Elizabeth zu erinnern. «War sie nicht auf den Antillen oder so?»

«Genau, meine Liebe, bei einer alten Schulfreundin, und es war phantastisch dort. Aber vor ein paar Tagen ist sie wieder nach Hause geflogen, und in Prestwick empfing ihr Vater sie dann mit dieser grauenhaften Neuigkeit.»

«Womit denn?»

«Nun, wissen Sie, vor zehn Jahren, als Duncan und ich noch zusammen waren, haben wir dieses Haus in Schottland gekauft, beziehungsweise hat Duncan es gekauft, gegen meinen ausdrücklichen Willen... Für unsere Ehe war das eigentlich der Tropfen, der das Faß zum Überlaufen brachte...» Mit leicht verwirrtem Gesichtsausdruck brach sie ab.

«Elizabeth», half Caroline ihr sanft auf die Sprünge.

«Ach so, stimmt. Elizabeth hat sich natürlich sofort mit den beiden Jungen angefreundet, die auf dem Nachbargut wohnten, wobei Jungen eigentlich nicht ganz zutrifft, sie waren ja damals schon erwachsen, aber einfach hinreißend, und sie haben Elizabeth richtig unter ihre Fittiche genommen, wie eine kleine Schwester. Im Handumdrehen ging sie bei ihnen ein und aus, als hätte sie ihr Leben lang dort gewohnt. Beide beteten sie an, aber für den älteren Bruder war sie immer der ganz besondere Liebling, und stellen Sie sich vor, kurz bevor sie wieder zu Hause war, kam er bei einem grauenhaften Autounfall ums Leben. Furchtbar, vereiste Straßen, mit dem Auto direkt gegen eine Mauer gerast.»

Fast gegen ihren Willen war Caroline ehrlich entsetzt. «Wie schrecklich!»

«Ja, grauenhaft. Erst achtundzwanzig. Ein prächtiger Farmer, fabelhafter Schütze und ein bezaubernder Kerl. Sie können sich vorstellen, was das für ein Empfang für die Arme war. Sie hat es mir unter Tränen am Telefon erzählt, und ich hätte sie so gern nach London geholt und heute abend mitgebracht, damit wir sie ein bißchen aufmuntern können, aber sie meinte, sie würde dort gebraucht...»

«Ihr Vater freut sich sicher sehr, daß sie da ist...» Just in diesem Augenblick tauchte Parker urplötzlich neben Caroline auf und reichte ihr einen eiskalten Martini. «Auf wen warten wir denn noch?» fragte er.

«Auf die Lundstroms, die Kanadier. Er ist Bankier aus

Montreal. Das Ganze hat irgendwie mit diesem neuen Projekt von Shaun zu tun.»

«Heißt das wirklich, daß Diana und Shaun nach Montreal ziehen wollen?» fragte Elaine. «Aber was machen wir dann ohne sie? Diana, Schätzchen, wie sollen wir ohne dich auskommen?»

«Wie lange möchten sie denn dort bleiben?» fragte Parker.

«Drei, vier Jahre. Vielleicht auch weniger. Sie wollen so bald wie möglich nach der Hochzeit fliegen.»

«Und dieses Haus? Wollen Sie sich mit Hugh hier einrichten?»

«Dazu ist es viel zu groß. Außerdem hat Hugh ja selber eine wunderschöne Wohnung. Nein, Katy bleibt im Keller wohnen und kümmert sich ums Haus, und wenn Diana den richtigen Mieter findet, dann will sie es vielleicht vermieten.»

«Und Jody?»

Caroline blickte ihn an, und dann auf ihr Glas hinunter.

«Jody geht mit nach Kanada.»

«Macht Ihnen das denn nichts aus?»

«Doch. Aber Diana will ihn mitnehmen.»

Und Hugh will sich nicht mit einem kleinen Jungen belasten. Zumindest jetzt noch nicht. Vielleicht in ein paar Jahren ein Baby, aber keinen elfjährigen Jungen. Diana hat ihn schon an einer Privatschule angemeldet, und Shaun will ihm Skifahren und Eishockey beibringen.

Parker sah sie immer noch an. Sie lächelte ironisch. «Sie kennen doch Diana. Wenn sie sich etwas vornimmt – peng, kommt es auch so.»

«Er wird Ihnen fehlen, was?»

«Allerdings.»

Zu guter Letzt kamen die Lundstroms, wurden allen vorgestellt, mit Drinks versehen und höflich in die Konversation einbezogen. Caroline, die unter dem Vorwand, sich eine Zigarette zu holen, beiseite getreten war, musterte sie neugierig und dachte bei sich, daß sie fast gleich aussahen, wie das bei Ehepaaren oft der Fall ist, beide groß, von kantiger Statur und ziemlich sportlich. Sie konnte sich vorstellen, daß die beiden am Wochenende Golf spielten oder im Sommer segelten – womöglich sogar Hochseeregatten. Mrs. Lundstroms Kleid war schlicht, ihre Diamanten aufwendig, und Mr. Lundstrom hatte diese gewisse Unscheinbarkeit an sich, die außergewöhnlich erfolgreiche Männer oft trügerisch umgibt.

Sie dachte plötzlich, wie herrlich es wäre – wie ein frischer Windstoß! – wenn in diesem Haus auf einmal jemand auftauchen würde, der arm war, ein Versager, unmoralisch oder sogar betrunken. Ein Künstler vielleicht, der in seiner Dachstube vor sich hin hungerte, ein Schriftsteller, dessen Geschichten niemand kaufte, oder einer dieser Strand-Playboys mit Dreitagebart und einem Bauch, der sich über dem engen Gürtel wölbte. Sie dachte an die Freunde ihres Vaters, bunt zusammengewürfelt und von zweifelhaftem Leumund, wie sie bis tief in die Nacht hinein Rotwein und Retsina tranken und schliefen, wo ihnen gerade die Augen zufielen, auf dem durchgesessenen Sofa oder mit den Füßen auf das kleine Mäuerchen an der Veranda gestützt. Und sie dachte an das Haus auf Aphros, daran, wie das Mondlicht nachts schwarzweiße Muster auf die Wände zauberte; und immer hörte man das Meeresrauschen.

«... wir gehen zum Essen hinüber.»

Das war Hugh. Er hatte sich offenbar bereits wiederholen müssen. «Du träumst, Caroline. Trink dein Glas aus, jetzt wird gegessen.»

Am Eßtisch fand sie sich zwischen John Lundstrom und Shaun wieder. Shaun war mit der Weinkaraffe beschäftigt, folglich unterhielt sie sich automatisch mit Mr. Lundstrom.

«Sind Sie zum erstenmal in England?»

«Aber nein. Ich habe öfter hier zu tun.» Er rückte sein Besteck gerade und runzelte die Stirn. «Verzeihen Sie, eines ist mir noch nicht ganz klar. Bei den Familienverhältnissen, meine ich. Sie sind Dianas Stieftochter?»

«Richtig. Und ich heirate Hugh, der ihr Bruder ist. Die meisten Leute halten das anscheinend für so gut wie verboten, aber das ist es eigentlich nicht. Es steht jedenfalls nichts davon hinten im Gebetbuch.»

«Ich hätte auch nie vermutet, daß das verboten sein könnte. Ich finde es einfach sehr ordentlich. Da bleiben alle vernünftigen Menschen hübsch in der Familie.»

«Ist das nicht ein bißchen eng gedacht?»

Er blickte schmunzelnd auf. Wenn er schmunzelte, sah er gleich jünger, fröhlicher und weniger reich aus. Irgendwie menschlicher. Caroline fand ihn allmählich sympathisch.

«Man könnte es auch praktisch nennen. Wann heiraten Sie denn?»

«Am Dienstag in einer Woche. Ich kann es mir noch gar nicht richtig vorstellen.»

«Und wann werden Sie beide Shaun und Diana in Montreal besuchen?»

«Irgendwann bestimmt. Aber nicht sofort.»

«Und dann ist da noch der kleine Junge...»

«Genau, Jody, mein Bruder.»

«Der geht doch mit.»

«Ja.»

«Er wird sich in Kanada wohl fühlen wie ein Fisch im Wasser. Für einen kleinen Jungen ist es da herrlich.»

«Ja», sagte Caroline noch einmal.

«Und Sie sind nur zu zweit?»

«Nein, nein», widersprach Caroline. «Wir haben noch Angus.»

«Ein weiterer Bruder?»

«Ja. Er ist schon fast fünfundzwanzig.»

«Und was macht er?»

«Das wissen wir nicht.»

John Lundstrom zog höflich, aber überrascht die Augenbrauen hoch. «Im Ernst», sagte Caroline. «Wir wissen weder, was er macht, noch wo er ist. Sehen Sie, wir haben nämlich auf Aphros gewohnt, in der Ägäis. Mein Vater war Architekt und so etwas wie ein Makler für Leute, die dort Grundstücke kaufen und bauen wollten. So hat er auch Diana kennengelernt.»

«Moment mal. Sie meinen, Diana wollte dort Land kaufen?»

«Ja, und ein Haus bauen. Hat sie aber dann beides nicht getan. Sondern meinen Vater kennengelernt und ihn geheiratet, und dann ist sie bei uns eingezogen, in dem Haus auf Aphros, das wir schon immer gehabt haben…»

«Aber dann sind Sie nach London gegangen?»

«Ja. Mein Vater ist gestorben, und dann hat Diana uns mit hierher genommen. Bloß Angus wollte nicht. Er war damals neunzehn, hatte schulterlange Haare und keinen Pfennig Geld. Von Diana aus hätte er auf Aphros bleiben dürfen, aber er meinte, sie solle ruhig das Haus verkaufen, weil er sich nämlich einen alten Jeep zugelegt hatte und über Afghanistan nach Indien fahren wollte. Auf Dianas Frage, was er dort vorhätte, meinte er, er müßte zu sich selber finden.»

«Ach, wie so viele heutzutage.»

«Das macht es einem nicht leichter, wenn es der eigene Bruder ist.»

«Haben Sie ihn denn seitdem nicht mehr gesehen?»

«Doch. Kurz nach Dianas und Shauns Hochzeit kam er wieder, aber Sie wissen ja, wie das so geht. Wir dachten, er hätte zumindest ein Paar Schuhe an den Füßen, aber er hatte sich überhaupt nicht geändert, und alle Vorschläge von Diana machten ihn nur noch bockiger, deshalb ging er wieder nach Afghanistan zurück. Seitdem haben wir nichts mehr von ihm gehört.»

«Überhaupt nichts?»

«Doch, einmal kam eine Ansichtskarte aus Kabul oder Kaschmir oder Katmandu oder so.» Sie bemühte sich, scherzhaft zu klingen, doch bevor John Lundstrom sich noch irgendeine Antwort überlegen konnte, stellte Katy eine Tasse Schildkrötensuppe vor ihn hin. Nach dieser Unterbrechung wandte er sich von Caroline ab und begann mit Elaine zu plaudern.

Der Abend nahm seinen Lauf, förmlich, erwartungsgemäß und in Carolines Augen furchtbar öde. Nach Kaffee und Cognac begab man sich wieder ins Wohnzimmer. Die Herren fanden sich zu Gesprächen über die Geschäfte in einer Ecke zusammen, die Damen setzten sich an den Kamin, plauderten, schmiedeten Pläne für Kanada und bewunderten den Wandteppich, an dem Diana gerade arbeitete.

Nach einer Weile löste sich Hugh aus der Gruppe von Männern, vorgeblich, um John Lundstroms Glas nachzufüllen. Doch als er das erledigt hatte, kam er zu Caroline herüber, setzte sich zu ihr auf die Sessellehne und fragte: «Na, wie geht's?»

«Warum fragst du?»

«Bist du noch munter genug, um mit mir ins Arabella zu gehen?»

Sie sah zu ihm auf. Von dem Blickwinkel aus dem tiefen Sessel heraus schien sein Gesicht fast auf dem Kopf zu stehen. Es sah komisch aus.

«Wie spät ist es denn?»

Er warf einen Blick auf die Uhr. «Elf. Vielleicht bist du ja schon zu müde.»

Bevor sie antworten konnte, blickte Diana, die mitgehört hatte, von ihrem Wandteppich auf und sagte: «Ab mit euch beiden.»

«Wohin gehen sie denn?» fragte Elaine.

«Ins Arabella. Das ist ein kleiner Club, in dem Hugh Mitglied ist...»

«Klingt ja vielversprechend...» Elaine lächelte Hugh mit einem Blick zu, als sei sie Expertin in Sachen vielversprechende Nachtclubs. Hugh und Caroline entschuldigten sich, wünschten der Gesellschaft gute Nacht und gingen. Caroline holte sich eine Jacke von oben und fuhr sich rasch durchs Haar. Sie klopfte leise an Jodys Tür, doch das Licht war aus und alles blieb still, deshalb wollte sie ihn lieber nicht stören und ging wieder hinunter, wo Hugh in der Diele auf sie wartete. Er hielt ihr die Tür auf, gemeinsam traten sie hinaus in die laue, windige Nacht, stiegen in sein Auto und fuhren einmal um den kleinen Platz, um dann in die Kensington High Street zu biegen. Der Wind trieb Wolkenfetzen vor dem Mond vorbei, die Bäume im Park schüttelten ihre kahlen Äste, die Lichter der Stadt schienen orange am Himmel wider, und Caroline kurbelte das Fenster herunter, ließ sich die kühle Luft durchs Haar wehen und dachte, daß man in einer solchen Nacht eigentlich auf dem Land sein mußte, dunkle, unbeleuchtete Landstraßen entlanggehen, den Wind in den Bäumen rauschen hören und nur mit dem launischen Mondlicht auskommen sollte. Sie seufzte.

«Was heißt denn das?»

«Was heißt was?»

«Dieser Seufzer. Er klang sehr tragisch.»

«Ach, nichts.»

Nach einer Weile fragte Hugh: «Ist alles in Ordnung? Oder bedrückt dich irgendwas?»

«Nein.» Es gab schließlich keinen Grund, den Kopf hängenzulassen. Keinen und tausend zugleich. Zum Beispiel, daß sie sich dauernd krank fühlte. Warum war es wohl so unmöglich, mit Hugh darüber zu reden? Vielleicht weil er selber immer so vor Gesundheit strotzte. Er war schwungvoll, aktiv und offensichtlich niemals müde. Außerdem war es langweilig, krank zu sein, und noch langweiliger, darüber zu reden.

Die Stille zwischen ihnen breitete sich aus. Als sie an einer Ampel standen, bemerkte Hugh schließlich: «Die Lundstroms sind ja reizend.»

«Stimmt. Ich habe Mr. Lundstrom von Angus erzählt, und er hat zugehört.»

«Was hättest du denn sonst erwartet?»

«Das, was alle anderen immer tun: Erschrocken schauen, entsetzt und fasziniert zugleich – oder auf ein anderes Thema ablenken. Diana kann es nicht ausstehen, wenn wir von Angus reden. Wahrscheinlich, weil er ihr einziger Mißerfolg war.» Sie verbesserte sich. «Ihr einziger Mißerfolg *ist*.»

«Du meinst, weil er nicht mit euch nach London kommen wollte?»

«Genau, und kein Bilanzbuchhalter geworden ist, oder was sie sich sonst für ihn ausgedacht hatte. Statt dessen hat er einfach gemacht, was er wollte.»

«Auf die Gefahr hin, daß ich zu hören kriege, ich nähme Diana in Schutz, muß ich sagen: du doch auch. Trotz heftigstem Widerstand hast du es auf die Schauspielschule geschafft und sogar ein Engagement bekommen...»

«Ein halbes Jahr lang. Dann war Schluß.»

«Du hattest eine Lungenentzündung. Dafür kannst du doch nichts.»

«Nein. Aber dann habe ich mich wieder erholt, und wenn ich was taugen würde, wäre ich wieder zurückgegangen und hätte es noch mal probiert. Aber nein, ich habe mich gedrückt. Und Diana hat schon immer gesagt, ich hätte nicht das nötige

Stehvermögen, also hat sie am Ende doch wieder recht behalten. Wie üblich. Fehlt bloß noch, daß sie ein ‹Ich hab's dir gleich gesagt› vom Stapel gelassen hätte.»

«Aber wenn du immer noch am Theater wärst», sagte Hugh sanft, «dann würden wir wahrscheinlich nicht nächste Woche heiraten.»

Caroline warf einen Blick auf sein Profil, das von den Straßenlaternen und dem Schimmer vom Armaturenbrett eigentümlich beleuchtet wurde. Er sah finster aus, fast ein bißchen wie ein Bösewicht im Film.

«Nein. Wahrscheinlich nicht.»

Aber so einfach war es nicht. Sie hatte tausenderlei Gründe für eine Heirat mit Hugh, und die waren so eng miteinander verknüpft, daß man sie nur mit sehr viel Mühe auseinanderklauben konnte. Der wichtigste Grund war wohl Dankbarkeit. Als Hugh in ihr Leben trat, war sie fünfzehn Jahre alt und schlaksig, gerade mit Diana von Aphros zurückgekommen. Und selbst damals am Flughafen waren ihr Hughs Qualitäten aufgefallen, als sie mißmutig und stumm vor lauter Unglück zusah, wie er sich um Gepäck und Pässe und einen müden, heulenden Jody kümmerte. Er war einfach genau die verläßliche Vaterfigur, die sie nie gehabt hatte. Es war so schön, gesagt zu bekommen, was man tun sollte, und umsorgt zu werden; und mit dieser Rolle als Beschützer – die er nicht direkt väterlich, aber zumindest wie ein Onkel spielte – hatte er sie sämtliche schwierigen Jahre des Erwachsenwerdens hindurch begleitet.

Eine weitere nicht zu unterschätzende Kraft war Diana selbst gewesen. Sie hatte anscheinend von Anfang an entschieden, daß Hugh und Caroline das ideale Paar abgäben. Schon das Saubere, Ordentliche an diesem Arrangement gefiel ihr. Ganz unaufdringlich – denn für offensichtliche Aktionen war sie viel zu klug – kümmerte sie sich darum, daß die beiden zusammenkamen. *Hugh kann dich doch zur U-Bahn fahren. Bist du zum Abendessen da, mein Schatz? Hugh kommt nämlich, und ich hätte dich gern dabei, damit es mit der Tischordnung aufgeht.*

Doch selbst dieser anhaltende Druck hätte nichts gefruchtet, wenn Caroline nicht die unselige Affäre mit Drennan Colefield dazwischengekommen wäre. Danach, nachdem sie einmal so geliebt hatte, kam es ihr vor, als könnte nichts mehr so sein wie vorher. Als die Sache vorbei ging und sie aus ihren verheulten Augen allmählich wieder in die Welt schaute, merkte sie, daß Hugh immer noch da war, immer noch auf sie wartete – nur mit dem Unterschied, daß er sie nun heiraten wollte. Jetzt schien es überhaupt keinen Grund mehr zu geben, der dagegen gesprochen hätte.

«Du warst den ganzen Abend sehr still», sagte er.

«Dabei habe ich Angst gehabt, ich hätte zuviel geredet.»

«Du würdest mir doch sagen, wenn du irgendwas auf dem Herzen hättest, oder?»

«Ach, es ist nur, weil alles so schnell geht, und es gibt so viel zu tun, und mit den Lundstroms heute kam es mir so vor, als ob Jody schon in Kanada wäre und ich ihn nie wiedersehen würde.»

Hugh verstummte. Er nahm sich eine Zigarette, zündete sie an und steckte den Anzünder wieder ins Armaturenbrett zurück. «Wahrscheinlich leidest du einfach unter Brautdepressionen oder wie immer das die Frauenseite in der Zeitung nennt.»

«Und wovon kriegt man die?»

«Weil man zu vieles zugleich erledigen muß. Zu viele Briefe schreiben, zu viele Geschenke auspacken, Kleider anprobieren, Vorhänge auswählen, und zwischendurch rennen einem die Feinkost- und Blumenlieferanten die Tür ein. Da muß doch das robusteste Mädchen durchdrehen.»

«Warum hast du uns dann in diese Riesenhochzeit reinrasseln lassen?»

«Weil wir beide Diana viel bedeuten. Wenn wir uns heimlich zu einem Standesamt geschlichen hätten und dann vielleicht gerade noch übers Wochenende nach Brighton gefahren wären, hätten wir sie um ihr ganzes Vergnügen gebracht.»

«Aber wir sind doch Menschen und keine Opferlämmer.»

Er nahm ihre Hand. «Kopf hoch. Bald kommt der Dienstag, dann ist alles vorbei, wir fliegen in die Karibik, und du kannst den ganzen Tag in der Sonne liegen und einen Drink nach dem anderen schlürfen, ohne einen einzigen Brief zu schreiben. Na, wie klingt das?»

Sie wußte, wie kindisch das war, aber es ritt sie einfach der Teufel. «Ich würde viel lieber nach Aphros fahren», sagte sie.

Selbst Hughs Geduld war allmählich am Ende. «Caroline, das haben wir doch schon tausendmal besprochen…»

Weiter hörte sie nicht mehr zu, denn ihre Gedanken waren mit einem Ruck wieder in Aphros, wie ein Fisch, der an der Angel aus dem Wasser gezogen wird. Sie dachte an die Olivenhaine, die uralten Bäume im kniehohen Mohn vor der Kulisse des tiefblauen Meeres; an die Felder voller Traubenhyazinthen und blaßrosa Zyklamen, an den Glockenklang der Ziegenherden und den Pinienduft in den Bergen, an die schlanken Bäume, an denen in der Hitze das Harz hinunterrann.

«…und außerdem haben wir ja schon alles gebucht.»

«Aber irgendwann fahren wir mal nach Aphros, oder?»

«Du hast mir überhaupt nicht zugehört.»

«Wir könnten ein Häuschen mieten.»

«Nein.»

«Oder eine Yacht.»

«Nein.»

«Warum willst du denn nicht?»

«Weil ich es für besser halte, wenn du Aphros so in Erinnerung behältst, wie es war, nicht so, wie es jetzt vermutlich ist, nämlich verschandelt und mit riesigen Hotels zugebaut.»

«Du kannst doch gar nicht wissen, ob es wirklich so schlimm ist.»

«Ich habe aber eine recht düstere Ahnung.»

«Aber…»

«Nein», sagte Hugh.

Nach einer kleinen Pause sagte sie trotzig: «Ich will aber trotzdem noch mal hin.»

2

Die Standuhr in der Diele schlug zwei, als sie schließlich nach Hause kamen. Sanft und würdevoll erklangen die Glockenschläge, während Hugh Carolines Schlüssel ins Schloß steckte und die schwarze Tür öffnete. In der Diele brannte noch Licht, aber die Treppe führte hinauf ins Dunkel. Es war sehr still; die Gäste hatten sich längst verabschiedet, und man war zu Bett gegangen.

«Gute Nacht, Hugh.»

«Gute Nacht, mein Schatz.» Sie küßten sich. «Wann sehe ich dich wieder? Morgen bin ich nicht da... vielleicht am Dienstag?»

«Komm zum Abendessen. Ich sag Diana Bescheid.»

«Tu das.»

Er lächelte sie an, wandte sich um und ging. «Vielen Dank für den schönen Abend», rief sie ihm gerade noch rechtzeitig nach, bevor die Tür ins Schloß fiel. Dann war sie allein.

Als das Motorengeräusch seines Wagens sich in der Ferne verloren hatte, drehte sie sich um und stieg langsam die Treppe hinauf, Stufe für Stufe, die Hand am Geländer. Vom Treppenabsatz machte sie das Dielenlicht aus und tastete sich den Flur entlang zu ihrem Zimmer. Die Vorhänge waren zugezogen, das Bett aufgedeckt, und am Fußende lag auf dem Quilt ihr Nachthemd bereit. Auf dem Weg von der Tür streifte sie die Schuhe ab, ließ Tasche, Jacke und Schal fallen und warf sich aufs Bett, ohne Rücksicht darauf, was sie ihrem Kleid womöglich damit antat. Nach einer Weile hob sie eine Hand und begann langsam, die winzigen Knöpfe aufzumachen, zog sich den Kaftan über den Kopf und schälte sich aus

allen übrigen Kleidungsstücken; dann streifte sie ihr Nachthemd über, das sich kühl und leicht auf der Haut anfühlte.
Barfuß tappte sie zum Bad hinüber, wusch sich flüchtig das
Gesicht und putzte sich die Zähne. Danach fühlte sie sich wieder frisch. Zwar spürte sie noch die Müdigkeit, doch ihr Kopf
war hellwach. Sie trat an die Frisierkommode, öffnete die
untere Schublade und holte Drennans Briefe heraus. Das
Bündel war immer noch mit einer roten Schleife zusammen-
gebunden, und darunter lagen das Foto von ihnen beiden, wie
sie die Tauben am Trafalgar Square fütterten, die alten Thea-
terprogramme, Speisekarten und ein Haufen unwichtiger
Zettelchen, die sie nur deshalb aufgehoben hatte, weil sie die
einzig greifbare Erinnerung an die gemeinsam verbrachte Zeit
waren.

Du hattest eine Lungenentzündung – Hughs ehrenwerter
Versuch, sie in Schutz zu nehmen.

Es klang so einleuchtend. Aber kein Mensch, nicht einmal
Diana, hatte je von Drennan Colefield erfahren. Nicht einmal
als die Krankheit ausgestanden war und Caroline mit Diana
allein zwei Wochen in Antibes verbrachte, um wieder zu
Kräften zu kommen, hatte sie erzählt, was wirklich passiert
war, obwohl sie sich so nach dem Trost der alten, billigen
Weisheiten sehnte. *Die Zeit heilt alle Wunden. Eine unglückliche Liebe im Leben braucht jedes Mädchen. Auch andere
Mütter haben einen schönen Sohn.*

Monate später war sein Name beim Frühstück aufgetaucht.
Diana las die Theaterseite in der Zeitung und fragte quer
durch die morgendlichen Sonnenstrahlen, die Marmelade
und den Kaffeeduft: «Hat Drennan Colefield nicht am Theater in Lunnbridge gastiert, als du dort warst?»

Caroline stellte ganz vorsichtig ihre Kaffeetasse ab. «Doch.
Warum?»

«Hier heißt es, daß er in der Verfilmung von *Bring Out*

34

Your Gun den Kirby Ashton spielen soll. Das ist wahrscheinlich eine recht deftige Rolle, das Buch war voller Sex, Crime und schöner Frauen.» Sie blickte auf. «War er gut? Als Schauspieler, meine ich?»

«Soviel ich weiß, schon.»

«Hier ist ein Foto von ihm mit seiner Frau. Wußtest du, daß er Michelle Tyler geheiratet hat? Er sieht verteufelt gut aus.»

Sie hatte ihr die Zeitung herübergereicht, und da stand er, schmaler, als Caroline ihn in Erinnerung hatte, und mit längeren Haaren, aber mit demselben strahlenden Lächeln, dem Funkeln in den Augen und der Zigarette zwischen den Fingern.

«Was hast du heute abend vor?» hatte er gefragt, als sie sich zum erstenmal begegneten. Sie hatte in der Garderobe Kaffee gekocht und war nach ein paar Stunden Arbeit am Bühnenbild von oben bis unten mit Farbe bekleckert.

«Nichts», hatte sie wahrheitsgemäß geantwortet, worauf Drennan sagte: «Ich auch nicht. Tun wir doch gemeinsam nichts.» Und nach diesem Abend hatte sich die Welt in einen phantastischen Ort verwandelt. Jedes Blatt am Baum war plötzlich ein Wunder. Ein Kind, das mit einem Ball spielte, ein alter Mann auf einer Parkbank, alles bekam einen Sinn, den sie bisher nie erkannt hatte. Das langweilige Städtchen war wie umgekrempelt, die Menschen strahlten und die Sonne schien unentwegt, so hell und warm wie nie zuvor. Und alles wegen Drennan. *So ist das, wenn man sich liebt*, hatte er ihr erklärt und dann auch gezeigt. *So soll es sein.*

So war es aber nie wieder gewesen. Die Erinnerung an Drennan und der Gedanke, daß sie in einer Woche Hugh heiraten würde, waren zuviel für sie. Caroline kamen die Tränen. Sie weinte lautlos, es war eine Tränenflut, die ihr in die Augen stieg und dann ungehemmt die Wangen hinunterlief.

Womöglich hätte sie noch bis zum Morgen so dagesessen, in Selbstmitleid zerfließend und ohne nennenswertes Ergebnis ihrer Brüterei, wenn Jody sie nicht aufgeschreckt hätte. Er schlich geräuschlos über den Gang zwischen ihren beiden Zimmern, klopfte, und als keine Antwort kam, steckte er den Kopf zur Tür herein.

«Hast du irgendwas?» fragte er.

Sein unerwartetes Auftauchen wirkte wie eine kalte Dusche. Augenblicklich riß sich Caroline zusammen, wischte mit der flachen Hand die Tränen ab und angelte nach ihrem Morgenmantel.

«Nein... wieso? Wieso bist du denn auf?»

«Ich bin aufgewacht, als du nach Hause gekommen bist. Dann hab ich so komische Geräusche gehört, und ich dachte, dir ist vielleicht nicht gut.» Er schloß die Tür und trat, im blauen Schlafanzug, barfuß und mit einem widerspenstigen Haarbüschel am Hinterkopf an die Frisierkommode.

«Warum hast du geweint?»

Leugnen hatte keinen Zweck. Also sagte Caroline: «Einfach so», was ungefähr genausoviel Sinn hatte.

«Das geht nicht. Man weint nicht einfach so.» Er beugte sich vor und legte den Kopf schief. «Hast du vielleicht Hunger?»

Sie mußte lächeln und schüttelte den Kopf.

«Ich schon. Ich geh am besten mal runter und hol was.»

«Gute Idee.»

Aber er blieb stehen und blickte sich suchend nach irgendeinem Anhaltspunkt für ihr Unglück um. Sein Blick fiel auf das Bündel Briefe und das Foto. Er nahm es in die Hand. «Das ist doch Drennan Colefield. Den hab ich in *Bring Out Your Gun* gesehen. Ich mußte Katy überreden, daß sie mit mir hingeht, sonst wäre ich nicht reingekommen. Er hat den Kirby Ashton gespielt, er war super.» Er sah Caroline an. «Den kennst du also.»

«Ja. Wir waren zusammen am Theater in Lunnbridge.»

«Er hat inzwischen geheiratet.»

«Ich weiß.»

«Hast du deshalb geweint?»

«Schon möglich.»

«Hast du ihn denn so gut gekannt?»

«Ach, Jody, das ist alles längst vorbei.»

«Wieso mußt du dann weinen?»

«Ich habe bloß einen sentimentalen Anfall.»

«Aber du...» Er stolperte über das Wort «liebst». «Du heiratest doch Hugh.»

«Ich weiß. Deshalb sage ich ja, daß es ein sentimentaler Anfall ist. Sentimental ist man, wenn man einer Sache nachtrauert, die längst aus ist, vorbei und vergessen. Es ist reine Zeitverschwendung.»

Jody blickte sie stirnrunzelnd an. Nach einer Weile legte er das Foto wieder hin und sagte: «Ich geh mal runter und hol mir ein Stück Kuchen. Bin aber gleich wieder da. Soll ich dir was mitbringen?»

«Nein. Sei leise, weck Diana nicht auf.»

Er schlüpfte hinaus. Caroline legte die Briefe und das Foto in die Schublade zurück und und schob sie energisch zu. Dann klaubte sie die am Boden verstreuten Kleider auf, hängte den Kaftan auf einen Bügel, klemmte Schuhspanner in die Schuhe und legte die übrigen Sachen ordentlich auf einen Stuhl. Als Jody mit seinem Imbiß zurückkam, hatte sie sich die Haare gebürstet und saß aufrecht im Bett. Er stellte sein Tablett auf dem Nachttisch ab und machte es sich neben ihr gemütlich.

«Ich habe übrigens eine Idee.»

«Eine gute?» erkundigte sie sich.

«Find ich schon. Du glaubst wahrscheinlich, ich gehe gern mit Diana und Shaun nach Kanada. Das stimmt aber nicht.

Ich habe überhaupt keine Lust, echt überhaupt keine. Es graut mir fürchterlich davor.»

Caroline starrte ihn an. «Aber du wolltest doch! Du hast dich so gefreut.»

«Bloß aus Höflichkeit.»

«Du liebes bißchen, du kannst doch nicht höflich sein, wenn es darum geht, nach Kanada zu ziehen!»

«Doch. Und dir sag ich jetzt, daß ich nicht hin will.»

«Aber Kanada wird doch toll.»

«Woher willst du das wissen? Du warst ja auch noch nie da. Außerdem will ich aus meiner Schule nicht weg, und von meinen Freunden und von unserer Fußballmannschaft.»

Caroline war völlig verblüfft. «Warum hast du mir denn das nicht schon früher gesagt? Warum erzählst du's mir erst jetzt?»

«Früher hab ich's nicht gesagt, weil du immer so beschäftigt warst, mit deinen Dankesbriefen und Toaströstern und Schleiern und dem ganzen Zeug.»

«Aber doch nicht zu beschäftigt für dich!»

Er redete unbeirrt weiter, als hätte sie überhaupt nichts gesagt. «Und jetzt erzähl ich's dir, weil es sonst zu spät ist. Wir haben sowieso nicht mehr viel Zeit. Also, willst du nun hören, was ich vorhabe?»

Ihr wurde plötzlich mulmig. «Ich weiß nicht so recht. Was hast du denn vor?»

«Ich glaube, ich bleibe am besten hier in London und gehe nicht nach Montreal… Nein, nein, ich will nicht bei dir und Hugh wohnen. Sondern bei Angus.»

«*Angus?*» Es war fast komisch. «Angus ist doch irgendwo in Kaschmir oder Nepal oder sonstwo. Selbst wenn wir wüßten, wo man ihn erreichen kann, was nicht der Fall ist, würde er nie im Leben nach London zurückkommen.»

«Er ist nicht in Kaschmir oder in Nepal», sagte Jody und

stopfte sich ein großes Stück Kuchen in den Mund. «Sondern in Schottland.»

Seine Schwester starrte ihn fassungslos an und überlegte, ob sie durch die ganzen Rosinen und Krümel wohl richtig gehört hatte. «In Schottland?» Er nickte. «Wieso glaubst du, daß er in Schottland ist?»

«Das glaube ich nicht, das weiß ich. Weil er mir nämlich geschrieben hat. Vor drei Wochen. Er arbeitet im Hotel Strathcorrie Arms, in Strathcorrie, Perthshire.»

«Er hat dir geschrieben? Und du hast mir nichts davon erzählt?»

Jodys Miene verfinsterte sich. «Das hab ich eben für klüger gehalten.»

«Wo ist der Brief jetzt?»

«In meinem Zimmer.» Er biß noch ein riesiges Stück Kuchen ab.

«Darf ich ihn sehen?»

«Na gut.»

Er rutschte vom Bett, verschwand und kam mit dem Brief in der Hand wieder. «Da», sagte er, kletterte wieder aufs Bett und nahm sein Milchglas vom Tablett. Der Umschlag war gelbbraun und billig, die Adresse mit Schreibmaschine getippt. «Sehr anonym», sagte Caroline.

«Stimmt. Er lag eines Tages da, als ich aus der Schule gekommen bin, und ich hab gedacht, da will mir einer was andrehen. Sieht doch genauso aus, oder? Wenn man aus Versehen was bestellt hat oder so...»

Sie nahm den Brief heraus, ein einzelnes Blatt Luftpostpapier, das offensichtlich unzählige Male hin und her gewendet worden war und sich anfühlte, als würde es bald zerbröseln.

Hotel Strathcorrie Arms,
Strathcorrie, Perthshire.

Mein lieber Jody,
das ist so ein Brief, den man am besten verbrennt, bevor
man ihn noch gelesen hat, so geheim ist er. Also paß auf, daß
er Diana nicht unter die Lichter kommt, sonst kann ich was
erleben.

Ich bin vor ungefähr zwei Monaten aus Indien zurück-
gekommen und hier bei einem Freund gelandet, den ich in
Afghanistan kennengelernt habe. Er ist inzwischen wieder
weg, und ich hab's geschafft, mir in dem Hotel eine Arbeit
als Schuhputzer und Mädchen für alles zu besorgen. Als
Gäste sind hier lauter alte Leute, die gern angeln gehen.
Wenn sie mal nicht angeln, dann sitzen sie in ihren Sesseln
rum und schauen aus wie scheintot.

Als mein Schiff gelandet war, hab ich ein paar Tage
in London verbracht. Hätte Dich und Caroline gern be-
sucht, hatte aber furchtbar Angst, daß Diana mich ein-
fängt, mir ein Halfter umlegt, mir die Hufe beschlägt und
mich striegelt. Dann wäre es bloß noch eine Frage der Zeit
gewesen, bis man mich zugeritten hätte und ich ein bra-
ver, sicherer Gaul für irgendeine höhere Tochter gewor-
den wäre.

Liebe Grüße an C. Sag ihr, daß es mir gutgeht. Werde
Dich auf dem laufenden halten.

Ihr fehlt mir beide.
Angus

«Jody, warum hast du mir den nicht früher gegeben?»

«Weil ich gedacht habe, du willst ihn vielleicht unbedingt
Hugh zeigen, und der würde dann bei Diana petzen.»

Sie las den Brief noch einmal. «Er hat keine Ahnung, daß
ich heirate.»

«Woher auch?»

«Wir sollten ihn anrufen.»

Aber Jody war dagegen. «Er hat keine Telefonnummer angegeben. Und außerdem würde das irgendwer mitkriegen. Und überhaupt ist telefonieren sowieso nicht gut, weil man da das Gesicht vom anderen nicht sieht, und dann wird man immer unterbrochen, gerade bei Gesprächen nach Schottland.» Er konnte telefonieren nicht ausstehen, das wußte sie. Er hatte richtig Angst davor.

«Dann schreiben wir ihm doch.»

«Er beantwortet Briefe aber nie.»

Das stimmte allerdings. Doch Caroline hatte ein ungutes Gefühl. Jody wollte auf etwas hinaus, und sie wußte nicht, worauf. «Was dann?»

Er holte tief Luft. «Wir beide müssen zusammen nach Schottland fahren und ihn suchen. Damit wir ihm alles erklären können.» Als wäre sie taub, fügte er noch etwas lauter hinzu: «Daß ich nicht mit Diana und Shaun nach Kanada will.»

«Du kannst dir doch vorstellen, was er dazu sagen wird, oder? Was zum Teufel ihn das angeht, wird er sagen.»

«Das glaub ich nicht...»

Sie schämte sich. «Na gut. Dann fahren wir also nach Schottland und suchen Angus. Und was schlagen wir ihm vor?»

«Daß er nach London zurückkommen und auf mich aufpassen soll. Er kann nicht sein Leben lang vor jeder Verantwortung davonlaufen, das sagt Diana doch immer. Und ich bin nämlich eine Verantwortung, jawohl.»

«Wie soll er denn auf dich aufpassen?»

«Wir könnten zum Beispiel eine kleine Wohnung nehmen, und er könnte sich einen Job suchen...»

«Angus?»

«Wieso denn nicht? Das machen andere doch auch. Er hat sich ja nur deshalb die ganze Zeit dagegen gesperrt, weil er auf keinen Fall tun will, was Diana sagt.»

Caroline mußte grinsen. «Da ist was dran.»

«Aber uns zuliebe würde er herkommen. Er schreibt doch, daß wir ihm fehlen. Daß er gern bei uns wäre.»

«Und wie sollen wir nach Schottland kommen? Wie sollen wir uns aus dem Haus schleichen, ohne daß Diana was merkt? Sie würde sich doch sofort ans Telefon hängen und sämtliche Flughäfen und Bahnhöfe rebellisch machen. Und ihr Auto können wir uns auch nicht leihen, da winkt uns ja der erste Polizist auf die Seite, dem wir unter die Augen kommen.»

«Weiß ich», sagte Jody. «Kriegen wir alles unter Kontrolle.» Er trank die Milch aus und rückte noch ein Stück näher. «Ich hab schon einen Plan.»

Obwohl in ein paar Tagen der April anfing, senkte sich über den düsteren, grimmigen Nachmittag bereits die Finsternis. Wobei es eigentlich den ganzen Tag nicht richtig hell geworden war: Vom frühen Morgen an hingen bleierne Wolken am Himmel, aus denen hin und wieder ein kalter Schauer rauschte. Genauso trostlos wie das Wetter wirkte die Landschaft: Was man von den Hügeln sah, war mit dem letzten braunen Gras vom Winter bedeckt, und auf den Kämmen und in vereinzelten schattigen Spalten lag der Schnee vom letzten Jahr, als hätte jemand unfachmännisch Zuckerguß aufgetragen.

Zwischen den Hügeln folgte das Tal dem kurvigen Flußlauf, und hier fegte scharf, kalt und gnadenlos der Nordwind durch, womöglich direkt aus der Arktis. Er rüttelte an den kahlen Ästen der Bäume, riß altes Laub aus Gräben, wirbelte es in die bitter kalte Luft und heulte in den hohen Kiefern, daß es wie fernes, dumpfes Meeresgrollen klang.

Auf dem Friedhof war man ihm unbarmherzig ausgesetzt, und die fröstelnden Trauergäste duckten sich mit hochgezogenen Schultern zusammen. Das gestärkte Chorhemd des Pfarrers blähte sich und flatterte wie ein schlecht gesetztes Segel, und Oliver Cairney, der keine Kopfbedeckung aufhatte, kam es vor, als gehörten seine Wangen und Ohren gar nicht mehr zu ihm. Er wünschte sehnlichst, er hätte an einen wärmeren Mantel gedacht.

Sein Kopf befand sich in einem seltsamen Zustand, halb benommen, halb hellwach. Den Text der Predigt, die ihm eigentlich viel bedeutet hätte, hörte er kaum, aber die leuchtendgelben Blütenblätter eines Narzissenstraußes, die diesen trüben Tag ein bißchen aufhellten, fielen ihm auf und beschäftigten ihn. Und von den anderen Trauergästen, die er zum Großteil nur als anonyme Schatten um sich herum wahrnahm, stachen ihm ein paar ins Auge wie die Gestalten im Vordergrund eines impressionistischen Bildes. Cooper zum Beispiel, der alte Gutsverwalter, in seinem besten Tweedanzug mit Strickkrawatte. Oder die anheimelnde, massige Gestalt von Duncan Fraser, dem Nachbarn von Gut Cairney. Und die fremde junge Frau, die in dieser unscheinbaren Gesellschaft so aus dem Rahmen fiel. Eine dunkelhaarige junge Frau, sehr schlank und braungebrannt, die sich eine schwarze Pelzmütze tief über die Ohren gezogen hatte. Ihr Gesicht war hinter einer großen Sonnenbrille fast ganz versteckt. Ziemlich auffällig. Wer war sie nur? Eine Freundin von Charles? Sehr unwahrscheinlich...

Er merkte, daß er sich in fruchtlosen Gedanken verlor, die obendrein dem Anlaß nicht entsprachen, und versuchte, sich wieder auf das Geschehen zu konzentrieren. Doch wie um für Olivers inneren Teufel Partei zu ergreifen, heulte der boshafte Wind plötzlich auf, fuhr in das Laub am Boden und wirbelte die toten Blätter in die Luft. Verstört wandte Oliver den Kopf und bekam die fremde Frau auf einmal direkt ins Blickfeld. Sie hatte die Brille abgenommen, und zu seiner Verblüffung erkannte er Liz Fraser. Liz, die in einem unglaublich eleganten Kostüm neben ihrem Vater stand. Einen Augenblick lang trafen sich ihre Blicke, dann wandte er sich ab, und tausend Gedanken schossen ihm durch den Kopf. Liz, die er seit mindestens zwei Jahren nicht gesehen hatte. Liz, die inzwischen erwachsen und aus irgendeinem Anlaß auf Rossie Hill war. Liz, die sein Bruder so verehrt hatte. Er dankte ihr im stillen, daß sie heute gekommen war. Für Charles hätte es die Welt bedeutet.

Und dann war es endlich vorbei. Die Leute zerstreuten sich allmählich; dankbar, daß sie der Kälte nun entkommen durften, kehrten sie dem frischen Grab und den Bergen von frierenden Frühlingsblumen den Rücken und strebten in Zweier- und Dreiergrüppchen auf den Ausgang zu, vom Sturm vorangetrieben, als wollte er sie zum Friedhofstor hinausblasen.

Oliver stand schließlich draußen auf dem Pflaster, schüttelte Hände und sagte mechanisch die passenden Sprüchlein auf.

«Vielen Dank, daß Sie gekommen sind. Ja… eine Tragödie…»

Alte Freunde, Leute aus dem Dorf, Farmer aus der Gegend von Relkirk, die Oliver zum Großteil das erste Mal sah. Charles hatte viele Freunde gehabt.

«Vielen Dank, daß Sie den weiten Weg gemacht haben. Wenn Sie Zeit haben, kommen Sie doch noch auf Cairney vorbei. Mrs. Cooper hat Tee gemacht…»

Nun stand nur noch Duncan Fraser da. Duncan, groß und kräftig, in seinem schwarzen Cape mit einem Kaschmirschal um den Hals, das graue Haar vom Wind zu einem Hahnenkamm aufgebauscht. Oliver sah sich suchend nach Liz um.

44

«Sie ist schon weg», sagte Duncan. «Allein nach Hause gegangen. Ist nicht ihre Stärke, so was.»

«Das tut mir leid. Aber du kommst doch noch mit nach Cairney? Auf einen kleinen Schluck zum Aufwärmen?»

«Aber sicher.»

Der Pfarrer tauchte plötzlich neben ihm auf. «Ich kann leider nicht mehr mitkommen, Oliver, aber trotzdem vielen Dank. Meine Frau liegt mit Fieber im Bett. Wahrscheinlich Grippe.» Sie drückten sich die Hände, ein stummer Dank auf der einen Seite und eine Beileidsbekundung auf der anderen. «Lassen Sie mich wissen, was Sie weiterhin vorhaben.»

«Das könnte ich Ihnen sofort sagen, wenn es nicht zu lang dauern würde.»

«Irgendwann einmal, es hat ja Zeit.»

Der Wind plusterte seine Soutane auf. Die Hände, die das Gebetbuch hielten, waren vor Kälte rot und geschwollen. Wie Würstchen, dachte Oliver. Der Pfarrer nickte ihm zu, machte kehrt und eilte zwischen den schiefen Grabsteinen davon. Oliver blickte ihm nach, sah zu, wie das weiße Meßgewand in der Dämmerung flatterte und immer kleiner wurde, bis es schließlich hinter dem Kirchenportal verschwand. Dann ging er zu seinem Auto, das als einziges noch am Straßenrand parkte, und stieg ein – froh, endlich allein zu sein. Nun, da die Beerdigung hinter ihm lag, konnte er allmählich fassen, daß Charles tot war. Und wenn man es erst akzeptiert hatte, wurde manches vielleicht ein bißchen leichter. Oliver fühlte sich schon jetzt etwas besser – ihm war ruhiger zumute, und er wußte es zu schätzen, daß so viele Menschen gekommen waren, vor allem, daß Liz gekommen war.

Nach einer Weile griff er umständlich in die Manteltasche, fand eine Schachtel Zigaretten, nahm eine heraus und zündete sie an. Sinnend blickte er auf die menschenleere Straße und riß sich dann zusammen. Es gab noch ein paar letzte kleine gesellschaftliche Verpflichtungen: man wartete auf ihn. Er drehte den Zündschlüssel und fuhr los, daß die überfrorenen Kiesel unter den schweren Winterreifen knirschten.

Um fünf Uhr hatte sich dann der letzte Gast verabschiedet. Besser gesagt der vorletzte, denn Duncan Frasers alter Bentley stand noch vor der Tür, doch Duncan zählte eigentlich nicht richtig als Gast.

Nachdem Oliver gewartet hatte, bis das letzte Auto abgefahren war, kam er ins Haus zurück, schlug energisch die Haustür zu und ging wieder in die Bibliothek, in der ein Feuer im Kamin brannte. Lisa, die alte Labradorhündin, stand auf und kam auf ihn zu, als sie aber sah, daß es wieder nicht ihr ersehnter Herr war, legte sie sich schwerfällig auf ihren Platz zurück. Sie gehörte Charles – hatte ihm gehört –, und ihren verstörten Blick und ihre Verlorenheit mitanzusehen, fand Oliver fast schwerer als alles andere.

Duncan hatte inzwischen einen Sessel an den Kamin gerückt und es sich gemütlich gemacht. Sein Gesicht war leicht gerötet, womöglich von der Hitze des Feuers, wahrscheinlich aber von den beiden großen Gläsern Whisky, die er bereits intus hatte.

Der Raum, in dem auch sonst eine gemütliche Unordnung herrschte, zeigte noch Spuren von Mrs. Coopers liebevoll bereitetem Tee. Der Tisch war an die Wand gerückt worden; auf der weißen Damastdecke lagen Krümel von dem englischen Teekuchen, den sie extra gebacken hatte. Leere Teetassen standen herum, dazwischen vereinzelte Gläschen, die diverse stärkere Geschütze als Tee enthalten hatten.

Duncan blickte auf, lächelte Oliver zu, streckte dann die Beine aus und sagte mit seinem nach wie vor ziemlich starken Glasgower Akzent: «Ich gehe jetzt wohl lieber.» Er machte jedoch überhaupt keine Anstalten zu gehen, und

Oliver, der am Tisch stand und sich noch ein Stück Kuchen abschnitt, sagte: «Bleib doch noch ein bißchen.» Er wollte nicht allein sein. «Erzähl mir von Liz. Trink noch einen Schluck.»

Duncan Fraser beäugte sein leeres Glas, als ließe er sich das Angebot durch den Kopf gehen. «Hmm», sagte er schließlich, wie Oliver vorhergesehen hatte, «...einen ganz winzigen vielleicht. Aber du hast überhaupt noch nichts getrunken. Es wäre nett, wenn du mir Gesellschaft leisten würdest.»

«Jetzt ist mir auch danach.»

Er nahm Duncan das Glas aus der Hand, holte sich selbst ein frisches, schenkte Whisky ein und goß nicht allzu großzügig aus einer Karaffe Wasser dazu. «Ich habe sie übrigens gar nicht erkannt. Ich hatte keine Ahnung, wer diese junge Dame sein könnte.» Er trug die beiden Gläser an den Kamin zurück.

«Stimmt, sie hat sich ziemlich verändert.»

«Ist sie schon lange bei dir?»

«Seit ein paar Tagen. Vorher war sie auf den Antillen mit irgendeiner Freundin. Ich habe sie in Prestwick vom Flughafen abgeholt. Das hatte ich eigentlich nicht vor, aber dann dachte ich, es ist doch besser, wenn ich ihr das mit Charles selbst erzähle.» Er lächelte zaghaft. «Frauen sind komische Wesen, Oliver. Sie lassen sich ihren Kummer nicht so schnell anmerken. Die meisten fressen alles in sich hinein.»

«Immerhin ist sie heute zur Beerdigung gekommen.»

«Das schon. Aber es ist das erste Mal, daß Liz sich mit der Tatsache auseinandersetzen muß, daß der Tod auch Menschen trifft, die man kennt, nicht nur irgendwelche Namen in der Zeitung. Sie kommt bestimmt morgen oder übermorgen hier vorbei... genau kann ich es dir nicht sagen...»

«Sie war das einzige Mädchen, das Charles je auch nur angesehen hat. Das weißt du, oder?»

«Ja, ich habe es gemerkt. Schon als sie noch klein war...»

«Er hat nur darauf gewartet, daß sie erwachsen wird.»

Darauf gab Duncan keine Antwort. Oliver holte sich eine Zigarette, zündete sie an und setzte sich ihm gegenüber auf eine Sesselkante. Duncan blickte ihn forschend an.

«Und was machst du jetzt? Mit Cairney, meine ich.»

«Verkaufen», sagte Oliver.

«Einfach so?»

«Einfach so. Mir bleibt nichts anderes übrig.»

«Jammerschade, ein solches Gut aus der Hand zu geben.»

«Schon, aber ich wohne ja nicht hier. Meine Arbeit und mein Zuhause sind in London. Ich hatte noch nie das Zeug zu einem schottischen Gutsherrn, das war immer Charles' Job.»

«Hängst du denn nicht an Cairney?»

«Doch, natürlich. Es ist mein Elternhaus.»

«Du warst schon immer so furchtbar nüchtern. Was willst du eigentlich in London? Ich kann es nicht ausstehen.»

«Ich liebe es heiß und innig.»

«Verdienst du anständig?»

«Genügend. Für eine ganz nette Wohnung und ein Auto.»

Duncan runzelte die Stirn. «Und was macht das Liebesleben?»

Jedem anderen, der diese Frage gestellt hätte, wäre für diese unverschämte Einmischung in seine Privatangelegenheiten ein Aschenbecher an den Kopf geflogen. Aber mit Duncan war das anders. *Gerissener Hund*, dachte Oliver. Laut sagte er: «Danke der Nachfrage.»

«Ich kann mir schon vorstellen, wie du in der Londoner Schickeria deine Spuren hinterläßt...»

«An deinem Ton läßt sich nicht erkennen, ob du das mißbilligst oder schlicht neidisch bist.»

«Ich habe nie kapiert», sagte Duncan trocken, «wie Charles zu so einem jüngeren Bruder kommt. Hast du eigentlich je erwogen zu heiraten?»

«Ich heirate erst, wenn ich für alles andere zu alt bin.»

Duncan prustete los. «Jetzt hast du's mir aber gegeben. Doch nochmal zu Cairney. Wenn du tatsächlich verkaufen willst, verkaufst du dann an mich?»

«Lieber als an irgend jemand sonst. Das weißt du doch.»

«Ich würde das Farmland, das Moor und den See einfach mit meinem Grundstück verbinden. Und dann wäre da immer noch das Gutshaus. Das könntest du vielleicht einzeln verkaufen. Schließlich ist es weder zu groß noch zu weit weg von der Straße, und um den kleinen Garten kann man sich leicht kümmern.»

Es war beruhigend, diese Vorschläge zu hören, die die ganzen emotionsbeladenen Entscheidungen in nüchterne Worte faßten und Olivers Probleme auf eine überschaubare Größe zurechtstutzten. Das war eben Duncan Fraser. Auf diese Art hatte er schon verhältnismäßig jung sein Vermögen gemacht, so daß er sein Londoner Geschäft für eine astronomische Summe verkaufen und das tun konnte, was ihm schon immer vorgeschwebt hatte, nämlich nach Schottland zurückgehen, ein Stück Land kaufen und sich auf das behagliche Leben eines Gutsherrn verlegen.

Wobei die Erfüllung seines Traumes auch ihre Kehrseite hatte, denn Duncans Frau Elaine, die von Anfang an nicht besonders erpicht darauf gewesen war, den heimatlichen Süden zu verlassen und im urwüchsigen Perthshire Wurzeln zu schlagen, fand das beschauliche Leben auf Rossie Hill bald zu langweilig. Sie vermißte ihre Freundinnen, und das Wetter schlug ihr auf die Stimmung. Die Winter seien lang, kalt und trocken, beschwerte sie sich, die Sommer dagegen kurz, kalt und naß. Dementsprechend wurden ihre Stippvisiten in London häufiger und länger, bis der unvermeidliche Tag kam, an dem sie verkündete, sie werde nicht mehr zurückkommen, und die Ehe zerbrach.

Falls Duncan sich darüber grämte, verbarg er das sehr gut. Er genoß es, Liz für sich zu haben, und wenn sie dann wieder zu ihrer Mutter fuhr, vereinsamte er keineswegs, denn er hatte tausenderlei Interessen. Als er sich auf Rossie Hill niedergelassen hatte, waren die Einheimischen skeptisch gewesen, ob er als Farmer etwas taugte, doch er hatte sich bewährt – inzwischen wurde er akzeptiert, war Mitglied im Club in Relkirk und gehörte zu den Honoratioren am Ort. Oliver mochte ihn sehr.

«Bei dir klingt das alles so vernünftig und einfach», sagte er. «Überhaupt nicht so, als würde man sein Zuhause verkaufen.»

«Tja, so ist nun mal das Leben.» Duncan trank mit einem großen Schluck aus, stellte das Glas neben sich ab und stand unvermittelt auf. «Laß es dir durch den Kopf gehen. Wie lang bleibst du hier?»

«Ich bin genau zwei Wochen beurlaubt.»

«Wie wär's, wenn wir uns am Mittwoch in Relkirk treffen. Ich lade dich zum Lunch ein, und wir unterhalten uns ein bißchen mit den Anwälten. Oder geht dir das zu schnell?»

«Überhaupt nicht. Je eher die Sache unter Dach und Fach ist, desto besser.»

«Unter diesen Umständen schere ich mich jetzt nach Hause.»

Er ging auf die Tür zu, und sofort stand Lisa auf und trottete ihnen in gebührendem Abstand hinterher, wobei ihre Krallen vernehmlich über das polierte Parkett kratzten.

Duncan blickte sich über die Schulter nach ihr um. «Ein trauriger Anblick, so ein Hund ohne Herrchen.»

«Zerreißt einem das Herz.»

Lisa sah zu, wie Oliver Duncan in den Mantel half, und begleitete die beiden nach draußen, wo der alte schwarze Bentley wartete. Der Abend war noch kälter als sonst, pechschwarz und scheußlich windig. Die Pfützen auf der Auffahrt waren halb zugefroren und knirschten unter ihren Schritten.

«Wir kriegen noch mal Schnee», sagte Duncan.

«Sieht ganz so aus.»

«Irgendwelche Botschaften für Liz?»

«Sag ihr, sie soll mich besuchen.»

«Mach ich. Dann sehen wir uns am Mittwoch im Club. Um halb zwölf.»

«Abgemacht.» Oliver schlug die Wagentür zu. «Fahr vorsichtig.»

Als das Auto verschwunden war, ging Oliver mit Lisa wieder hinein, schloß die Tür und blieb dann einen Augenblick stehen, weil ihm die furchtbare Leere des Hauses entgegenschlug. Sie war ihm schon einmal aufgefallen – beziehungsweise immer wieder, seit er vor zwei Tagen aus London hergekommen war. Er fragte sich, ob er sich wohl je daran gewöhnen würde.

In der Diele war es kalt und still. Lisa, der Olivers Bewegungslosigkeit nicht geheuer war, schob ihm die Schnauze in die Hand, und er ging in die Hocke, um ihr den Kopf zu kraulen und mit ihren seidigen Ohren zu spielen. Ein Windstoß fegte durch die Türritzen, so daß sich der lange Samt am Windfang blähte und wellte. Fröstelnd ging Oliver in die Bibliothek zurück, nicht ohne auf dem Weg den Kopf in die Küche zu stecken. Mrs. Cooper kam sofort mit ihrem Tablett, und gemeinsam stapelten sie Tassen und Untertassen, stellten Gläser aufeinander und räumten den Tisch leer. Mrs. Cooper legte die gestärkte Damastdecke zusammen, und Oliver half ihr, den Tisch wieder in die Mitte des Zimmers zu rücken. Dann folgte er ihr zur Küche, hielt die Tür auf, damit sie mit dem vollbeladenen Tablett durchgehen konnte, und folgte selber mit der leeren Teekanne in der einen Hand und der fast leeren Whiskyflasche in der anderen.

Sie begann mit dem Abwasch. «Lassen Sie das Geschirr stehen, Sie sind doch müde», sagte er.

Sie kehrte ihm weiterhin den Rücken zu. «Nein, nein, das bring ich nicht fertig. Ich hab mein Lebtag keine schmutzige Tasse über Nacht stehenlassen.»

«Dann gehen Sie aber, wenn Sie mit dem Abwasch fertig sind.»

«Und was ist mit Ihrem Abendessen?»

«Ich bin noch ganz satt von dem Kuchen. Ich brauche heute abend nichts.» Ihr Rücken blieb steif, als brächte sie es nicht fertig, Oliver ihren Kummer zu zeigen. Sie hatte Charles über alles geliebt. «Der Kuchen war sehr gut», sagte Oliver. «Danke.»

Mrs. Cooper drehte sich immer noch nicht um. Als ihm klar wurde, daß sie das auch in absehbarer Zeit nicht tun würde, ließ Oliver sie allein und floh an den heimeligen Kamin in der Bibliothek.

3

Hinter Diana Carpenters Haus in Milton Gardens lag ein langer, schmaler Garten, der an eine Siedlung alter, umgebauter Kutscherhäuschen grenzte. Zwischen dem Garten und den Kutscherhäuschen stand eine hohe Mauer mit einem Tor und einem Gebäude, das ehemals eine große Doppelremise gewesen war. Als Diana von Aphros nach London zurückkehrte, war sie zu dem Schluß gekommen, daß man aus der Remise eine solide Geldanlage machen könnte, weshalb sie eine kleine Wohnung darüberbauen ließ, die sie nun vermietete. Der Anbau hatte über ein Jahr lang ihre Energien in Schach gehalten, und als alles fix und fertig eingerichtet war, vergab sie die Wohnung zu einem gesalzenen Preis an einen amerikanischen Diplomaten, der für zwei Jahre nach London beordert worden war. Der Mann war der ideale Mieter, doch als er wieder nach Washington zurück mußte und sie die Fühler nach einem Ersatz für ihn ausstreckte, hatte sie weniger Glück.

Mitten aus der Vergangenheit tauchte nämlich plötzlich Caleb Ash auf, mit Freundin Iris, zwei Gitarren, einer Siamkatze und ohne feste Bleibe.

«Wer bitte», fragte Shaun, «ist Caleb Ash?»

«Ach, das war auf Aphros ein Freund von Gerald. Einer von denen, die immer gerade irgendein großartiges Projekt vorhaben, einen Roman schreiben, ein Tryptichon malen, ein Geschäft aufziehen oder ein Hotel bauen. Und dann wird nie was draus. Caleb Ash ist jedenfalls der faulste Mensch der Welt.»

«Und Mrs. Ash?»

53

«Iris. Und sie sind nicht verheiratet.»

«Hättest du sie denn nicht gern in der Wohnung?»

«Nein.»

«Warum nicht?»

«Weil ich glaube, daß sie einen schlechten Einfluß auf Jody ausüben.»

«Meinst du, er kann sich noch an sie erinnern?»

«Natürlich. Sie sind bei uns ein und aus gegangen.»

«Und du mochtest ihn nicht?»

«Das habe ich nicht gesagt. Caleb Ash hat einen umwerfenden Charme, man muß ihn einfach mögen. Aber ich weiß nicht recht, wenn sie so bei uns im Garten wohnen...»

«Können sie die Miete bezahlen?»

«Er behauptet es.»

«Machen sie aus der Wohnung einen Schweinestall?»

«Ach wo. Iris ist ausgesprochen häuslich. Sie wienert den ganzen Tag die Böden und hat immer in einem großen Kupferkessel irgendeinen Eintopf blubbern.»

«Du machst mir den Mund wässerig. Gib ihnen doch die Wohnung. Es sind schließlich Freunde von früher. Du solltest nicht alle deine Bindungen an die Vergangenheit aufgeben. Ich kann mir nicht vorstellen, daß es Jody irgendwie schaden könnte, wenn sie hier wohnen...»

Und so zogen Caleb und Iris samt Katze, Gitarren und Kochtöpfen in das Cottage. Diana gab ihnen einen Teil des Grundstücks für einen Garten dazu, und Caleb verlegte ein paar Steinplatten, stellte einen Topf mit einer Kamelie auf und hatte im Handumdrehen aus dem Nichts ein herrlich südliches Ambiente geschaffen.

Jody verehrte ihn natürlich, hatte aber von Diana gleich zu Anfang die strenge Auflage bekommen, Caleb und Iris nur auf Einladung zu besuchen, weil sonst die Gefahr bestehe, daß er ihnen nach kürzester Zeit auf die Nerven ging. Und Katy hatte größte Vorbehalte gegen Caleb, zumal als ihr über die einheimischen Klatschkanäle zu Ohren kam, daß Caleb und Iris nicht verheiratet waren und auch mitnichten eine Hochzeit planten.

«Du willst mir doch nicht schon wieder in den Garten zu diesem Mr. Ash?»

«Aber wenn er mich doch eingeladen hat, Katy. Suki hat nämlich Junge gekriegt.»

«Noch mehr solche siamesischen Krakeeler?»

«Keine richtig echten. Sie hat mit dem getigerten Kater aus Nummer acht in der Kutschersiedlung was gehabt, und da ist irgendwie eine Promenadenmischung rausgekommen. Caleb sagt, sie bleiben so.»

Katy machte sich an einem Wasserkessel zu schaffen. «Soso. Na, also ich weiß nicht», brummte sie.

«Wir könnten ja vielleicht eins nehmen, hab ich mir gedacht...»

«So ein ständig jaulendes Ding? Und überhaupt will Mrs. Carpenter sowieso keine Tiere im Haus, das hat sie oft genug gesagt. Und Katzen sind nun mal Tiere, also Schluß mit der Debatte. Basta.»

Am Tag nach der Einladung traten Caroline und Jody Cliburn vormittags auf der Gartenseite aus dem Haus und gingen den kleinen gepflasterten Weg zum Cottage hinüber. Sie bemühten sich keineswegs um Unauffälligkeit, denn Diana war frühmorgens aus dem Haus gegangen, und Katy stand in der Küche, die nach vorn auf die Straße ging, und schälte Kartoffeln fürs Mittagessen. Außerdem hatten sie per Anruf bei Caleb angefragt, ob sie vorbeikommen dürften, worauf er sie begeistert eingeladen hatte.

Es war ein kalter, strahlender, windiger Vormittag. Der

blaue Himmel spiegelte sich in den Pfützen wider, die sich auf den Steinplatten gebildet hatten, und die Sonne schien blendend grell. Der Winter hatte dieses Jahr lang gedauert, so daß jetzt erst ein paar grüne Knollen zaghaft aus den schwarzen Blumenbeeten lugten. Alles übrige war braun, verwelkt und wie abgestorben.

«Letztes Jahr gab es um die Zeit schon Krokusse», sagte Caroline. «Überall im ganzen Garten.»

Calebs Gärtchen lag allerdings an einer sonnigen, windgeschützten Stelle, in seinen grün bemalten Blumentrögen nickten bereits Narzissenköpfe, und am Fuß des Mandelbäumchens in der Mitte standen büschelweise Schneeglöckchen.

In die Wohnung gelangte man über eine Außentreppe, die auf eine breite, überdachte Veranda führte, besser gesagt auf eine Art Balkon wie bei einem Schweizer Chalet. Caleb, der ihre Stimmen gehört hatte, stand bereits draußen, als sie die Stufen hinaufgerannt kamen, und stützte sich mit den Händen auf das Holzgeländer. Er sah aus wie ein Inselskipper, der seine Gäste an Bord willkommen heißt.

Caleb hatte so lange auf Aphros gelebt, daß er schon richtig griechische Züge angenommen hatte, ungefähr so, wie lang verheiratete Eheleute einander immer ähnlicher sehen. Seine Augen lagen so tief, daß man die Farbe praktisch nicht erkennen konnte, das Gesicht war gebräunt und voller Falten, die Nase scharf gebogen, die Haare dicht gelockt und grau. Er hatte eine tiefe, volle Stimme, bei der Caroline immer an herben Wein, frisches Brot und Salat mit Knoblauchduft denken mußte.

«Jody! Caroline!» Er umarmte sie mit je einem Arm und drückte ihnen auf seine herrlich unbekümmerte griechische Art einen Kuß ins Gesicht. Jody wurde sonst von niemandem geküßt, außer hin und wieder von Caroline; Diana mit ihrem Fingerspitzengefühl merkte genau, daß er es nicht ausstehen

56

konnte. Aber bei Caleb war das etwas anderes, da handelte es sich um einen respektvollen Gruß von Mann zu Mann.

«Was für eine schöne Überraschung! Kommt rein, ich habe schon Kaffee aufgesetzt.»

In der Ära des amerikanischen Diplomaten hatte die Wohnung eine Art von sprödem New-England-Charme an sich gehabt, kühl und blank gebohnert. Jetzt, unter dem unverkennbaren Regiment von Iris, war sie zwanglos und bunt eingerichtet: ungerahmte Bilder verdeckten die meisten Wandflächen, ein buntes Glasmobile hing von der Decke, eine griechische Decke war über die von Diana liebevoll ausgesuchten Chintzsofas geworfen worden. Es war gemütlich warm und duftete nach Kaffee.

«Wo ist Iris?»

«Beim Einkaufen.» Er schob noch einen Stuhl dazu. «Setzt euch. Ich hole den Kaffee.»

Caroline setzte sich, Jody folgte Caleb, und schon kamen die beiden wieder, Jody mit drei Tassen und der Zuckerdose auf einem Tablett und Caleb mit der Kaffeekanne. Sie räumten ein Tischchen vor dem Kamin frei und setzten sich.

«Ihr habt doch wohl nichts angestellt?» erkundigte sich Caleb vorsichtig. Er hatte einen Heidenrespekt vor Diana und hütete sich tunlichst, ihren Zorn zu erregen.

«Ach wo», sagte Caroline automatisch. Aber nach einer Gedankenpause verbesserte sie sich. «Jedenfalls nicht direkt.»

«Schieß los», sagte Caleb. Also erzählte ihm Caroline die ganze Geschichte. Von Angus' Brief, von Jody, der nicht nach Kanada wollte, und von seinen Plänen, den Bruder aufzuspüren.

«Deshalb wollen wir jetzt nach Schottland. Und zwar morgen.»

«Erzählt ihr das Diana?» fragte Caleb.

«Die würde es uns nur ausreden, du kennst sie doch. Aber wir hinterlassen ihr einen Brief.»

«Und Hugh?»

«Der würde es uns auch ausreden.»

Caleb runzelte die Stirn. «Caroline, sollst du den Mann nicht morgen in einer Woche heiraten?»

«Das mach ich ja auch.»

«Hmmm», machte Caleb mit einem leicht zweifelnden Unterton. «Und du? Was ist mit dir? Was ist mit der Schule?»

«Die Schule ist seit Freitag aus. Wir haben Ferien.»

Caleb machte wieder «Hmmm». Caroline wurde nervös. «Caleb, wehe, wenn du jetzt sagst, daß du die Idee nicht gut findest.»

«Natürlich finde ich sie nicht gut. Es ist eine völlig aberwitzige Idee. Wenn ihr mit Angus sprechen wollt, warum ruft ihr ihn dann nicht an?»

«Das will Jody nicht. Es ist viel zu kompliziert, so was am Telefon zu erklären.»

«Und außerdem», sagte Jody, «kann man Leute am Telefon nicht überreden.»

Caleb grinste trocken. «Du meinst also, man wird Angus erst überreden müssen? Das glaube ich nämlich auch. Du willst schließlich von ihm, daß er nach London kommt, sich häuslich niederläßt und seinen ganzen Lebensstil umkrempelt.»

Jody ignorierte diese Bemerkung. «Deshalb können wir eben nicht anrufen», beharrte er stur.

«Und einen Brief schicken dauert euch wohl zu lange.» Jody nickte.

«Ein Telegramm?»

Jody schüttelte den Kopf.

«Tja, damit haben wir die Alternativen anscheinend ja

schon abgehakt. Was uns zur nächsten Frage führt: Wie wollt ihr nach Schottland kommen?»

Caroline setzte mit einem – wie sie hoffte – gewinnenden Lächeln zu ihrer Rede an: «Unter anderem deshalb wollten wir das Ganze ja mit dir besprechen, Caleb. Wir brauchen schließlich ein Auto, und Dianas können wir nicht nehmen. Aber wenn wir vielleicht euren kleinen Mini haben dürften, falls ihr den ein paar Tage entbehren könntet...? Ich meine, ihr benutzt ihn doch gar nicht so oft, und wir würden natürlich höllisch darauf aufpassen.»

«Mein Auto? Was soll ich dann sagen, wenn Diana mit einem Sack voll peinlicher Fragen die Treppe heraufgestürmt kommt?»

«Zum Beispiel, daß es in der Werkstatt ist. Das wäre bloß eine klitzekleine Notlüge.»

«O nein, das hieße, das Schicksal zu provozieren. Dieses Auto hat seit sieben Jahren keine Werkstatt mehr von innen gesehen, nämlich seit ich es gekauft habe. Was ist, wenn es liegenbleibt?»

«Das riskieren wir.»

«Und Geld?»

«Hab ich genügend.»

«Und wann wollt ihr wieder zurück sein?»

«Donnerstag oder Freitag, und zwar mit Angus.»

«Dein Wort in Gottes Ohr. Was ist, wenn er keine Lust hat?»

«Das überlegen wir uns, wenn es soweit ist.»

Unschlüssig stand Caleb auf. Er spähte aus dem Fenster, ob Iris vielleicht zurückkam und ihm helfen konnte, sich aus diesem scheußlichen Schlamassel herauszuwinden. Aber sie war nirgends in Sicht. Immerhin handelte es sich um die Kinder seines besten Freundes, sagte er sich. Er seufzte. «Wenn ich mich tatsächlich breitschlagen lasse, euch zu helfen, und wenn ich euch mein Auto leihe, dann nur, weil ich finde, es wird Zeit, daß Angus mal die eine oder andere Verantwortung übernimmt. Ich finde auch, daß er zurückkommen soll.» Er wandte sich zu ihnen um. «Aber ich muß wissen, wo ihr hinfahrt. Die genaue Adresse. Und wie lange ihr…»

«Hotel Strathcorrie Arms in Strathcorrie. Und wenn wir bis Freitag nicht wieder da sind, darfst du Diana verraten, wo wir sind. Aber nicht vorher.»

«Also gut.» Caleb nickte mit seinem Lockenkopf, als könne er ihn genausogut gleich in eine Schlinge stecken. «Abgemacht.»

Sie setzten ein Telegramm für Angus auf.

SIND DIENSTAG ABEND IN STRATHCORRIE –
WOLLEN WICHTIGEN PLAN
MIT DIR BESPRECHEN –
VIELE GRÜSSE – JODY UND CAROLINE

Als das erledigt war, schrieb Jody einen Brief, den sie Diana hinterlegen würden.

Liebe Diana,
ich habe einen Brief von Angus gekriegt, und er ist in Schottland, deshalb sind Caroline und ich hingefahren. Wir versuchen, am Freitag wieder zu Hause zu sein. Bitte mach Dir keine Sorgen.

Der Brief an Hugh war dagegen nicht so einfach, und Caroline mühte sich über eine Stunde mit der Formulierung ab.

Lieber Hugh,
wie Du vermutlich von Diana schon weißt, hat Jody einen Brief von Angus bekommen. Er ist mit dem Schiff aus Indien zurückgekehrt und arbeitet jetzt in Schottland. Wir

*halten es beide für sehr wichtig, daß wir ihn noch besuchen,
bevor Jody nach Kanada geht, und deshalb sind wir schon
unterwegs nach Schottland, wenn Du diesen Brief liest. Wir
hoffen, daß wir am Freitag wieder in London sind.*

*Ich wäre mit dem Plan gern zu Dir gekommen, aber Du
hättest es aus Pflichtgefühl Diana erzählen müssen, und
dann hätten wir uns alles ausreden lassen und Angus nie
getroffen. Es bedeutet uns aber sehr viel, daß er erfährt,
was wir in nächster Zeit vorhaben.*

*Ich weiß, es ist nicht richtig, eine Woche vor unserer
Hochzeit einfach so wegzufahren, ohne Dir etwas zu erzählen. Aber wenn alles gutgeht, sind wir ja am Freitag
wieder da.*

*Alles Liebe,
Caroline*

Dienstag morgen hatte es bereits ganz leicht geschneit und
dann wieder aufgehört, so daß der Boden so gesprenkelt aussah wie die Federn einer Legehenne. Der Wind pfiff allerdings
unvermindert, es war immer noch eiskalt, und dem verhange-
nen, khakifarbenen Himmel nach zu urteilen, mußte man mit
noch schlechterem Wetter rechnen.

Nach einem Blick vor die Tür kam Oliver Cairney zu dem
Schluß, der Tag sei günstig, um im Haus zu bleiben und in
Charles' Sachen etwas Ordnung zu schaffen. Was sich als
quälendes Unterfangen entpuppte. Tüchtig und sorgfältig,
wie Charles war, hatte er zwar jeden Brief und jede Rechnung, die die Farm betrafen, ordentlich abgelegt, so daß der
Verkauf des Landes sich einfacher gestalten würde als be-
fürchtet.

Doch dazwischen gab es noch einen Haufen anderer Sachen. Persönliche Dinge, Briefe und Einladungen, einen ab-
gelaufenen Paß, Hotelrechnungen und Fotos, Charles'

Adreßbuch, den silbernen Füllfederhalter, den er zum einundzwanzigsten Geburtstag bekommen hatte, sein Tagebuch, eine Schneiderrechnung.

Oliver hatte plötzlich die Stimme seiner Mutter im Ohr, mit einem Gedicht, das sie ihnen vorgelesen hatte; von Alice Duer Miller:

Was macht man mit den Schuhen einer Frau
Wenn doch die Frau nicht mehr lebt?

Er gab sich einen Ruck, zerriß die Briefe, sortierte die Fotos, warf Siegelwachsstummel weg, Schnüre, ein kaputtes Schloß ohne Schlüssel, ein Fläschchen eingetrocknete Tusche. Um elf quoll der Papierkorb bereits über, und Oliver wollte gerade den Abfallberg in die Küche schaffen, als er hörte, wie die Haustür zuschlug. Sie war halb verglast und tönte hohl, so daß in der holzverschalten Eingangshalle ein Echo nachklang. Mit dem Papierkorb in der Hand machte er kehrt und ging dem unbekannten Besucher entgegen.

«Liz!»

Sie trug eine enge Hose, ein kurzes Pelzjäckchen und dieselbe schwarze Mütze wie am Vortag, die sie nun abnahm, um sich mit der freien Hand durch die kurzgeschnittenen dunkelbraunen Haare zu fahren. Es war eine seltsam unsichere Geste, die überhaupt nicht zu ihrer eleganten Erscheinung paßte. Ihr Gesicht schimmerte von der Kälte rosig, und sie strahlte ihn an. Sie sah hinreißend aus.

«Hallo, Oliver.»

Sie beugte sich über den Papierberg und gab ihm einen Kuß auf die Wange. «Wenn du mich nicht sehen willst, sag's einfach, dann bin ich schon wieder weg.»

«Wer sagt denn, daß ich dich nicht sehen will?»

«Ich dachte, vielleicht...»

«Nichts da, vielleicht. Komm mit, dann kriegst du eine Tasse Kaffee. Ich kann auch einen gebrauchen, und ein bißchen Gesellschaft tut mir gerade gut.»

Er ging voraus und stieß die Küchentür mit einem gekonnten Hüftschwung auf. Liz ging an ihm vorbei, mit ihren langen Beinen und der Wolke aus frischer Luft und einem Hauch Chanel Nr. 5, die sie umgab. «Setz den Kessel auf», sagte er. «Ich lade nur noch schnell den Kram hier ab.»

Er durchquerte die Küche, ging zur Hintertür hinaus in die Eiseskälte, schaffte es, den Papierkorb in die Tonne zu leeren, ohne daß allzuviel vom Wind davongeweht wurde, klappte energisch den Deckel zu und kehrte dankbar in die warme Küche zurück. Liz stand am Spülbecken, wo sie ein wenig fehl am Platze wirkte, und ließ Wasser in den Kessel laufen.

«Mein Gott, ist das eine Kälte!» sagte Oliver.

«Kann man wohl sagen. Und das nennt sich Frühling. Ich bin von Rossie Hill zu Fuß herübergelaufen, und ich dachte, ich sterbe.» Sie trug den Wasserkessel an den altmodischen Ofen, klappte den schweren Deckel auf und stellte den Kessel auf die Platte. Dann drehte sie sich um und blieb am Ofen stehen, um sich den Rücken zu wärmen. Sie sahen sich über den Raum hinweg an. Plötzlich redeten beide gleichzeitig.

«Du hast dir die Haare schneiden lassen», sagte Oliver.

«Das mit Charles tut mir so leid», sagte Liz.

Jeder stockte, um den anderen ausreden zu lassen. Dann sagte Liz leicht verlegen: «Es ist einfacher zum Schwimmen, weißt du. Ich war gerade bei einer Freundin auf Antigua.»

«Ich wollte mich bedanken, daß du gestern da warst…»

«Ich… ich war noch nie vorher auf einer Beerdigung.»

Die wimperngetuschten Augen glänzten plötzlich vor ungeweinten Tränen. Der elegante Kurzhaarschnitt lenkte den Blick auf die schöne Nackenlinie und das vom Vater geerbte energische Kinn. Liz begann, ihr Pelzjäckchen aufzuknöpfen; er bemerkte ihre braungebrannten Hände, die in gedecktem Rosa lackierten Fingernägel, einen dicken Siegelring am Finger und mehrere dünne Goldreifen um das schmale Handgelenk.

«Du bist erwachsen geworden, Liz», sagte Oliver. Nicht gerade eine passende Bemerkung.

«Natürlich, ich bin inzwischen zweiundzwanzig. Falls du nicht mitgerechnet hast.»

«Wie lang haben wir uns eigentlich nicht mehr gesehen?»

«Fünf Jahre? Mindestens fünf, glaube ich. Du bist nach London gezogen, ich nach Paris, und wenn ich zu Besuch nach Rossie Hill kam, warst du immer gerade weg.»

«Aber Charles war da.»

«Schon.» Sie fingerte am Deckel des Wasserkessels herum. «Aber falls ich Charles je aufgefallen sein sollte, hat er darüber jedenfalls kein Wort verloren.»

«Natürlich bist du ihm aufgefallen. Er konnte seine Gefühle nur nie besonders gut ausdrücken. Du warst für Charles schon immer vollkommen, auch als fünfzehnjähriges Gör mit Zöpfen und in ausgebeulten Jeans. Er hat nur darauf gewartet, daß du erwachsen wirst.»

«Ich kann es nicht fassen, daß er tot ist», sagte sie.

«Bis gestern konnte ich das auch nicht. Aber jetzt akzeptiere ich es allmählich.» Der Kessel fing an zu summen. Oliver holte Kaffeetassen, ein Glas Pulverkaffee und eine Flasche Milch aus dem Kühlschrank. «Mein Vater hat mir das mit Cairney erzählt», sagte Liz.

«Daß ich es verkaufen will, meinst du?»

«Wie bringst du das nur fertig, Oliver?»

«Weil mir nichts anderes übrigbleibt.»

«Sogar das Gutshaus? Muß das auch mit weg?»

«Was soll ich denn mit dem Haus allein?»

«Du könntest es einfach behalten, als Wochenend- und Ferienhaus, damit du noch einen Fuß auf Cairney hast.»

«Das hört sich für mich nach Verschwendung an.»

«Ach was.» Sie zögerte kurz, und dann brach es aus ihr heraus: «Wenn du verheiratet bist und Kinder hast, dann kannst du mit deiner Familie hierherziehen, und die Kinder können die ganzen herrlichen Sachen machen, die ihr früher gemacht habt. Sich richtig austoben, Baumhäuser in der Buche bauen und Pferde haben...»

«Wer sagt denn, daß ich heiraten will?»

«Mein Vater hat gesagt, du wolltest heiraten, wenn du für alles andere zu alt bist.»

«Dein Vater erzählt dir viel zuviel.»

«Wie meinst du das?»

«Hat er schon immer. Er hat dich verwöhnt und dir seine ganzen kleinen Geheimnisse anvertraut. Du warst ein verwöhntes kleines Biest, weißt du das?»

Sie grinste. «Das klingt aber gar nicht nett, Oliver.»

«Ich habe keine Ahnung, wie du überhaupt lebend da rausgekommen bist. Ein Einzelkind mit Eltern, die dich abgöttisch geliebt und nicht einmal zusammengelebt haben, so daß du zwischen zwei Menschen hin und her pendeln konntest, die dir vollkommen ergeben waren. Und als ob das nicht genügt hätte, hattest du auch noch Charles, der dich nach Strich und Faden verwöhnt hat.»

Das Wasser kochte, und er nahm den Kessel vom Ofen. Liz deckte die altmodische Ofenplatte wieder zu. «Was man von dir nicht behaupten konnte.»

«Das wäre ja noch schöner gewesen.» Er goß den Pulverkaffee auf.

«Du hast mich überhaupt nie bemerkt. Ich sollte dir gefälligst nicht vor den Füßen herumlaufen.»

«Tja, da warst du auch noch eine Göre, nicht so elegant wie

jetzt. Ich habe dich gestern überhaupt nicht erkannt. Erst als du die Sonnenbrille abgenommen hast. Und da war ich baff.»

«Ist der Kaffee jetzt fertig?»

«Ja. Komm, trink, bevor er kalt wird.»

Sie saßen sich am blankgescheuerten Küchentisch gegenüber. Liz hielt ihre Kaffeetasse mit beiden Händen, als hätte sie immer noch kalte Finger, und warf ihm einen provozierenden Blick zu.

«Wir waren bei deinen Heiratsplänen stehengeblieben.»

«Wir? Du vielleicht.»

«Wie lange bleibst du auf Cairney?»

«Bis alles geregelt ist. Und du?»

Liz zuckte die Achseln. «Ich sollte eigentlich schon in London sein. Meine Mutter und Parker sind geschäftlich ein paar Tage dort. Als ich vom Flughafen hier ankam, habe ich gleich angerufen, um ihr das mit Charles zu erzählen. Sie wollte mich überreden, sofort zu ihnen zu fahren, aber ich hab ihr erklärt, daß ich zur Beerdigung hier sein will.»

«Jetzt weiß ich immer noch nicht, wie lang du auf Rossie Hill bleibst.»

«Ich hab keine festen Pläne.»

«Dann bleib doch eine Weile.»

«Würde dich das freuen?»

«Ja.»

Als er das ausgesprochen hatte, war das Eis zwischen ihnen endgültig gebrochen. Sie saßen noch eine Weile zusammen und vergaßen vor lauter Gesprächsstoff die Zeit. Erst als die Standuhr in der Diele zwölf schlug, horchte Liz auf. Sie sah auf ihre Armbanduhr. «Das darf nicht wahr sein – ist es wirklich schon so spät? Ich muß gehen.»

«Wohin denn?»

«Zum Lunch. So ein altmodischer kleiner Imbiß, weißt du noch, oder nimmst du diese Mahlzeit nicht mehr zu dir?»

«O doch.»

«Dann komm doch mit und iß bei uns.»

«Ich fahr dich gern nach Hause, aber zum Essen bleibe ich nicht.»

«Warum nicht?»

«Weil ich schon den ganzen Vormittag mit dir verquasselt habe, und dabei habe ich tausenderlei Dinge zu erledigen.»

«Dann eben zum Abendessen. Heute?»

Er überlegte einen Moment und fragte dann: «Würde morgen auch gehen?»

Sie zuckte die Achseln, ganz weibliche Fügsamkeit. «Wie du möchtest.»

«Morgen würde mir ausgezeichnet passen. So um acht?»

«Ein bißchen früher, wenn du vorher noch einen Aperitif möchtest.»

«Gut, Viertel vor acht. Hast du deine Jacke? Ich fahr dich nach Hause.»

Sein Wagen war dunkelgrün, klein, tiefliegend und sehr schnell. Sie saß mit den Händen in den Jackentaschen neben ihm, starrte auf die kahle schottische Landschaft hinaus und spürte die körperliche Nähe dieses Mannes so sehr, daß es fast weh tat.

Er hatte sich verändert, und doch wieder nicht. Älter war er geworden. Er hatte Falten im Gesicht, die früher noch nicht dort gewesen waren, und ganz tief in den Augen einen Ausdruck, der ihr fremd vorkam – als lasse sie sich auf eine Affäre mit einem völlig fremden Menschen ein. Und doch war es derselbe alte Oliver: lässig, niemals bereit, sich festzulegen, unverwundbar.

Für Liz hatte es immer nur Oliver gegeben. Charles war nur die Ausrede für ihre häufigen Besuche auf Cairney gewesen. Liz hatte ihr schlechtes Gewissen damit beruhigt, daß Charles sich immer freute, wenn sie kam, und sie ermunterte, recht oft vorbeizuschauen. Doch im Grunde kam sie wegen Oliver.

Charles war der eher bodenständige Typ, kräftig, rotblond und sommersprossig. Oliver dagegen duftete nach der großen weiten Welt. Charles brachte Zeit und Geduld für einen schlaksigen Teenager auf; er zeigte ihr, wie man eine Angel auswirft, wie man beim Tennis aufschlägt; er half ihr, den ersten richtigen Ball durchzustehen und brachte ihr beim Reel die Grundschritte bei. Während sie die ganze Zeit nur Augen für Oliver gehabt und inständig gehofft hatte, er würde sie einmal auffordern.

Was er allerdings nie tat. Es gab nämlich immer eine andere, irgendein fremdes Mädchen, das er aus England mitgebracht hatte. *Wir kennen uns von der Universität, von einer Party, über unseren gemeinsamen Freund Sowieso.* Im Lauf der Jahre kam eine stattliche Anzahl zusammen. Oliver und seine Freundinnen waren ein Standardwitz in der Umgebung. Liz fand das Ganze allerdings überhaupt nicht lustig. Sie beobachtete das Treiben aus dem Hintergrund, haßte jedes einzelne dieser Mädchen und stellte sich vor, wie sie die hübschen Larven mit glühenden Nadeln durchspießte. Mit anderen Worten: Sie war gebeutelt vom ganzen Elend einer Teenager-Eifersucht.

Nach der Trennung ihrer Eltern war es Charles gewesen, der Liz geschrieben und sie über alles Wissenswerte von Cairney auf dem laufenden gehalten hatte. Doch es war Olivers Foto, das sie in einem Geheimfach in ihrer Börse immer bei sich trug, ein kleiner, verwackelter Schnappschuß, den sie selbst aufgenommen hatte.

Auf dem Beifahrersitz neben ihm schielte sie nun vorsichtig nach rechts. Die beiden Hände auf dem lederumwickelten Lenkrad hatten lange Finger mit breiten, eckigen Fingernägeln. In Daumennähe war eine Narbe, und sie erinnerte sich daran, wie er sich an einem neuen Stacheldrahtzaun die Hand aufgerissen hatte. Unauffällig ließ sie die Augen an seinem Arm entlang nach oben wandern. Er spürte ihren Blick, wandte den Kopf und lächelte ihr zu, mit seinen strahlend-blauen Augen.

«Schon mal einen Mann am Steuer gesehen?» fragte er lachend, doch Liz gab keine Antwort. Sie dachte an ihre Ankunft in Prestwick, als ihr Vater sie am Flughafen abgeholt hatte. *Charles hatte einen Unfall. Er ist tot.* Im ersten Augenblick konnte sie es nicht fassen, es war, als hätte man ihr den Boden unter den Füßen weggezogen und sie stünde vor einem riesigen Loch. «Und Oliver?» hatte sie schwach gefragt.

«Oliver ist auf Cairney. Beziehungsweise müßte inzwischen dort sein; er ist heute von London heraufgefahren. Am Montag ist die Beerdigung…»

Oliver ist auf Cairney. Charles, der liebe, nette, geduldige Charles war tot, doch Oliver lebte, und er war auf Cairney. Nach all den Jahren sollte sie ihn wiedersehen. Auf der ganzen Fahrt bis Rossie Hill ging ihr dieser Gedanke nicht mehr aus dem Kopf. *Ich sehe ihn wieder. Morgen und übermorgen und überübermorgen auch.* Sie rief ihre Mutter in London an und erzählte ihr das mit Charles, doch als Elaine sie überreden wollte, die Trauer Trauer sein zu lassen und zu ihr zu kommen, lehnte sie ab. Die Entschuldigung hatte sie schnell parat.

«Ich muß hierbleiben. Papa… und die Beerdigung…» Dabei hatte sie die ganze Zeit genau gewußt, daß sie nur wegen Oliver blieb.

Und wie durch ein Wunder hatte es geklappt. Sie war sich ihrer Sache sicher gewesen, als Oliver auf dem Friedhof sich plötzlich ohne ersichtlichen Grund umgedreht und ihr in die Augen gesehen hatte. Mit einem überraschten Ausdruck im Gesicht, der sofort in Bewunderung umschlug. Inzwischen war er ihr nicht mehr haushoch überlegen, sie waren sich jetzt ebenbürtig. Und – was einerseits traurig war, die Sache andererseits aber erleichterte – man mußte keine Rücksicht mehr auf Charles nehmen. Auf den guten Charles, den lästigen Charles, immer zur Stelle, wie ein treuer Hund, der darauf wartet, daß man mit ihm Gassi geht.

Sie ließ ihrer ungestümen Phantasie freien Lauf und gönnte sich den einen oder anderen Zukunftstraum. Eine Hochzeit auf Cairney, eine kleine Landhochzeit in der hiesigen Kirche vielleicht, nur mit ein paar Freunden. Anschließend eine Hochzeitsreise nach –? Antigua wäre genau das Richtige. Dann nach London zurück. Er hatte dort ja bereits eine Wohnung; die könnten sie gut als Basis für die Suche nach einem Haus benutzen. Und – eine phantastische Idee! – ihr Vater sollte ihr das Cairneysche Gutshaus zur Hochzeit schenken, dann konnte das Szenario, das sie für Oliver vorhin so beiläufig entworfen hatte, Wirklichkeit werden. Sie sah schon vor sich, wie sie zu zweit an langen Wochenenden herfuhren, den Sommer hier verbrachten, später die Ferien mit den Kindern, Gäste einluden, rauschende Feste feierten . . .

«Du bist plötzlich so still», sagte Oliver.

Mit einem Ruck kehrte Liz in die Wirklichkeit zurück. Sie waren fast zu Hause; der Wagen rauschte schon die Buchenallee hinauf. Über ihnen knarzten nackte Äste im unbarmherzigen Wind. Vor der Haustür hielten sie an.

«Ich war bloß in Gedanken», sagte Liz. «Nichts weiter. Vielen Dank fürs Heimfahren.»

«Vielen Dank, daß du herübergekommen bist und mich aufgeheitert hast.»

«Und morgen kommst du zum Abendessen?»

«Ich freue mich schon darauf.»

«Viertel vor acht?»

«Viertel vor acht.»

70

Sie lächelten sich zu. Dann beugte er sich hinüber, um ihr die Tür zu öffnen. Liz stieg aus und lief die vereisten Stufen zur Veranda hinauf. Dort drehte sie sich um und wollte ihm noch nachwinken, doch sie sah nur noch die Rücklichter von Olivers Wagen in Richtung Cairney verschwinden.

Am Abend wurde Liz in der Badewanne von einem Anruf aufgeschreckt. Sie wickelte sich ein großes Handtuch um und nahm den Hörer ab. Es war ihre Mutter aus London.

«Elizabeth?»

«Hallo, Mama.»

«Wie geht's dir, mein Schatz? Wie läuft denn alles?»

«Ach, wunderbar. Perfekt. Ideal.»

So eine muntere Antwort hatte Elaine nicht gerade erwartet. Sie klang verwirrt. «Warst du denn nicht auf der Beerdigung?»

«Doch, doch, es war schauderhaft, ich mußte mich sehr zusammennehmen.»

«Dann komm doch nach London. Wir sind noch ein paar Tage hier.»

«Ich kann noch nicht weg…» Liz zögerte. Sonst schwieg sie sich über ihre persönlichen Angelegenheiten aus. Elaine beklagte sich ständig, sie erfahre nie etwas vom Leben ihrer eigenen Tochter. Doch plötzlich verspürte Liz das Bedürfnis, ihrer Mutter alles zu erzählen. Die aufregenden Ereignisse von heute und die Aussichten auf die nahe Zukunft waren einfach zu spannend; wenn sie nicht bald irgend jemandem von Oliver erzählte, würde sie platzen. Und schon sprudelte es aus ihr heraus: «Oliver ist nämlich gerade hier. Und morgen abend kommt er zum Essen.»

«Oliver? Oliver Cairney?»

«Natürlich Oliver Cairney. Was für einen Oliver kennen wir denn sonst?»

71

«Du meinst, wegen Oliver…?»

«Genau. Wegen Oliver.» Liz lachte. «Ach Mama, sei doch nicht so begriffsstutzig.»

«Aber ich dachte immer, daß du Char…»

«Da hast du dich eben getäuscht», sagte Liz schnippisch.

«Und was sagt Oliver dazu?»

«Na ja, er wirkt nicht gerade abgeneigt.»

«Tja, also…» Elaine wußte offensichtlich nicht, was sie sagen sollte. «Das habe ich nun wirklich nicht erwartet. Aber wenn du glücklich bist…»

«Allerdings, das kannst du mir glauben.»

«Nun, dann halte mich auf dem laufenden», bat ihre Mutter schwach.

«Mach ich.»

«Und sag mir Bescheid, wann du nach London kommst.»

«Wir kommen wahrscheinlich gemeinsam», sagte Liz, das Bild bereits vor Augen. «Vielleicht fahren wir zusammen mit dem Auto.»

Schließlich hängte ihre Mutter ein. Liz legte den Hörer auf, zog sich das Badetuch fester um die Schultern und tappte ins Bad zurück. Oliver. Immer wieder sagte sie seinen Namen vor sich hin. Oliver Cairney. Sie stieg in die Wanne und drehte mit den Zehen den Warmwasserhahn auf. Oliver.

Die Fahrt Richtung Norden war wie eine Reise gegen die Zeit. Der Frühling ließ dieses Jahr zwar überall auf sich warten, aber in London hatte es wenigstens schon Spuren von Grün gegeben, die ersten Blätterspitzen an den Bäumen im Park, die ersten gelben Krokusse. In den Blumenkästen in der Stadt blühten Narzissen und lila Iris, und in den Schaufenstern der Kaufhäuser waren Sommerkleider ausgestellt, die Hoffnungen auf eine bunte Welt mit Ferien, Kreuzfahrten und strahlendblauem Himmel weckten.

Die Autobahn nach Norden schnitt dagegen durch flaches Land, das immer grauer, kälter und karger wurde. Die Straßen waren naß und schmutzig. Jeder Lastwagen, der vorbeifuhr – und Calebs Auto wurde praktisch von allem überholt, was vier Räder hatte –, schleuderte eine braune Dreckfontäne auf die Windschutzscheibe, so daß die Scheibenwischer Überstunden machen mußten. Zu allem Übel ging auch kein Fenster richtig zu, und die Heizung war entweder kaputt oder reagierte nur auf irgendeinen Trick, auf den weder Jody noch Caroline kamen. Jedenfalls funktionierte sie nicht.

Trotz dieser widrigen Umstände war Jody bester Laune. Er studierte die Karte, sang und stellte komplizierte Berechnungen zu Meilenstand und Durchschnittsgeschwindigkeit an, mit eher deprimierendem Ergebnis allerdings.

«Ein Drittel haben wir schon.» – «Jetzt haben wir die Hälfte geschafft.» Und dann: «Jetzt sind es nur noch fünf Meilen bis Scotch Corner. Warum nennt sich das wohl Scotch Corner, wo es doch noch gar nicht in Schottland liegt?»

«Vielleicht muß man da anhalten und kriegt einen Scotch spendiert?»

Jody lachte sich kaputt. «Sag mal, eigentlich war doch von unserer ganzen Familie noch keiner in Schottland. Wieso Angus wohl ausgerechnet dahin gegangen ist?»

«Das können wir ihn ja bald selber fragen.»

«Genau», sagte Jody fröhlich. Er griff nach hinten und holte den Rucksack, den sie wohlweislich mit Proviant vollgepackt hatten. «Was möchtest du jetzt? Wir haben noch ein Schinkensandwich, einen ziemlich angeschlagenen Apfel und ein paar Schokoladenkekse.»

«Danke, ich hab im Moment gar keinen Hunger.»

«Macht es dir was aus, wenn ich das Schinkensandwich esse?»

«Überhaupt nicht.»

Hinter Scotch Corner fuhren sie auf die A 68; das kleine Auto fraß sich tapfer durch die düstere Moorlandschaft von Northumberland, durch Otterburn und weiter bis Carter Bar. Die Straße wand sich in Serpentinen die steile Steigung hinauf, und schließlich hatten sie den letzten Kamm erreicht, die Grenzmarkierung passiert. Schottland lag vor ihnen.

«Wir sind da», verkündete Jody höchst zufrieden. Doch Caroline sah nur eine graue, wellige Landschaft vor sich, und in der Ferne eine schneebedeckte Hügelkette.

«Du meinst doch wohl nicht, daß es schneien könnte?» fragte sie besorgt. «Es ist furchtbar kalt.»

«Ach, doch nicht jetzt im Frühling.»

«Und was liegt da vorn auf den Hügeln?»

«Ein Rest vom Winter, bloß noch nicht geschmolzen.»

«Der Himmel sieht aber furchtbar düster aus.»

Das stimmte. Jody runzelte die Stirn. «Wär das schlimm, wenn es schneien würde?»

«Keine Ahnung. Wir haben jedenfalls keine Winterreifen, und ich bin noch nie bei so einem Wetter gefahren.»

Nach einer kurzen Pause sagte Jody: «Ach, wird schon schiefgehen», und nahm sich die Karte wieder vor. «Als nächstes müssen wir jetzt nach Edinburgh.»

Als sie ankamen, war es fast dunkel, und in der zugigen Stadt gingen die Lichter an. Natürlich verfuhren sie sich zunächst, fanden dann aber unter den tausend Einbahnstraßen doch die richtige, die sie auf die Autobahn aus der Stadt in Richtung Brücke brachte. Ein letztes Mal hielten sie an, um zu tanken und Öl nachzufüllen. Während der Tankwart das Wasser kontrollierte und dann die verdreckte Windschutzscheibe mit einem nassen Schwamm bearbeitete, stieg Caroline aus, um sich die Beine zu vertreten.

«Kommen Sie von weither?» fragte der Tankwart, der den betagten Mini mit einigem Interesse betrachtete.

«Aus London.»

«Und wohin geht die Reise?»

«Wir möchten nach Strathcorrie, in Perthshire.»

«Da haben Sie aber noch ein ganz schönes Stück vor sich.»

«Das ist uns schon klar.»

«Sie fahrn direkt ins schlechte Wetter rein.» Jody gefiel der komische schottische Akzent, und er übte ihn leise vor sich hin.

«Wirklich?»

«Ich hab gerade den Wetterbericht gehört, es soll wieder schneien. Da müssen Sie aufpassen. Ihre Reifen…» – er stieß mit der Stiefelspitze gegen das linke Vorderrad – «Ihre Reifen sind nicht mehr die besten.»

«Ach, das wird schon gehen.»

«Jedenfalls, wenn Sie im Schnee steckenbleiben, denken Sie an die goldene Regel: Auf keinen Fall aus dem Auto aussteigen.»

«Ist gut. Machen wir.»

Sie bezahlten, bedankten sich und machten sich wieder auf den Weg. Der Tankwart sah ihnen kopfschüttelnd nach und konnte sich wieder einmal nicht genug über die Unvernunft der Engländer wundern.

Vor ihnen tauchte die Forth Bridge auf, mit blinkenden Warnlichtern: LANGSAM! HEFTIGER SEITENWIND. Sie bezahlten den Zoll und ratterten hinüber, vom Wind gebeutelt und durchgerüttelt. Drüben ging die Autobahn nach Norden weiter, aber es war so stürmisch und finster, daß sie über den schwachen Scheinwerferkegel hinaus nichts von der Landschaft erkennen konnten.

«Ein Jammer», sagte Jody. «Da sind wir in Schottland, und man sieht nichts. Nicht mal den kleinsten Schottenrockzipfel.»

Aber Caroline brachte kein Lächeln zustande. Sie fror, war

erschöpft und machte sich Sorgen wegen des Wetters und des drohenden Schnees. Mit einemmal war das Abenteuer keines mehr, sondern einfach eine riesengroße Dummheit.

Zu schneien begann es hinter Relkirk. Vom Wind getrieben, kamen ihnen aus der Dunkelheit die Schneeflocken in langen, blendendweißen Streifen entgegengeschossen.

«Wie Flak», sagte Jody.

«Wie was?»

«Flak. Flugabwehrfeuer. In Kriegsfilmen. Das sieht genauso aus.»

Erst blieb der Schnee nicht auf der Straße liegen. Doch als sie in die Hügelkette hinauffuhren, wurde er sogar ziemlich tief, lag in Mulden und auf Mäuerchen, vom Wind zu großen, kissenförmigen Schneewehen aufgetürmt. Er klebte an der Windschutzscheibe und setzte sich unter den Scheibenwischern fest, bis sie überhaupt nicht mehr funktionierten. Caroline mußte anhalten, so daß Jody aussteigen und mit einem alten Handschuh die Scheibe freiräumen konnte. Naß und bibbernd stieg er wieder ein.

«Meine Schuhe sind total durchnäßt. Es ist eisig.»

Sie fuhren weiter. «Wieviel Meilen haben wir noch?» Ihr Mund war vor Angst ganz ausgetrocknet, die kalten Finger umklammerten das Lenkrad. Sie befanden sich anscheinend in einer vollkommen unbewohnten Gegend, kein Licht weit und breit, keine Häuser, kein anderes Auto, nicht einmal eine Reifenspur auf der Straße.

Jody knipste die Taschenlampe an und studierte die Karte. «Ungefähr acht, würde ich sagen. Noch acht Meilen bis Strathcorrie.»

«Und wie spät ist es?»

Er sah auf die Uhr. «Halb elf.»

Soeben hatten sie eine kleine Anhöhe überwunden, nun

ging es auf einer schmalen Straße zwischen zwei Steinmauern bergab. Caroline schaltete in einen niedrigeren Gang, und als sie immer schneller rollten, bremste sie sacht, jedoch nicht sacht genug, so daß der Mini ins Schleudern geriet. Einen entsetzlichen Augenblick lang spürte sie, daß sie die Herrschaft über den Wagen verloren hatte. Vor ihnen tauchte eine Mauer auf, dann versanken die Vorderreifen mit einem dumpfen Schlag in einer Schneewehe, und sie blieben abrupt stehen. Mit zitternden Händen ließ Caroline den Motor wieder an. Sie schaffte es irgendwie, die Räder aus dem Schnee und das Auto zurück auf die Straße zu manövrieren. Im Schneckentempo fuhren sie weiter.

«Ist es gefährlich?» fragte Jody.

«Ich fürchte, schon. Wenn wir bloß Winterreifen hätten.»

«Caleb hätte auch keine Winterreifen, wenn er am Nordpol wohnen würde.»

Inzwischen fuhren sie durch ein tiefes Tal an einer Schlucht entlang, aus der man über das Geheul des Windes hinweg einen Fluß gurgeln und rauschen hörte. Die Straße führte auf eine steile Bogenbrücke zu. Aus Angst, die Steigung nicht zu schaffen, nahm Caroline sie mit Anlauf und erkannte zu spät, daß die Straße auf der anderen Seite eine scharfe Rechtskurve machte. Geradeaus stand nur eine nackte Steinmauer.

Jody japste nach Luft. Sie riß das Lenkrad herum, doch es war schon zu spät. Das kleine Auto machte plötzlich, was es wollte, rutschte direkt auf die Mauer zu und versank mit der Nase in einem tiefen Schneegraben. Der Motor starb sofort ab, und dann steckten sie quer zur Straße fest, die Hinterräder noch auf der Fahrbahn, aber Scheinwerfer und Kühlergrill hoffnungslos im Schnee versunken.

Ohne die Scheinwerfer war es dunkel. Caroline streckte die Hand aus, um Licht und Zündung auszuschalten. Zitternd drehte sie sich zu Jody um. «Hast du dir weh getan?»

«Bloß den Kopf ein bißchen angehauen, sonst ist alles klar.»

«Entschuldige.»

«Du kannst doch nichts dafür.»

«Vielleicht hätten wir besser früher angehalten. Und wären in Relkirk geblieben.»

Jody äugte in die tobende Finsternis hinaus. Tapfer erklärte er: «Also, ich glaub, das ist ein Blizzard. So was hab ich noch nicht erlebt. Der Mann an der Tankstelle hat gesagt, wir sollen im Auto sitzen bleiben.»

«Das geht nicht. Es ist viel zu kalt. Warte du hier, ich seh mich mal um.»

«Verlauf dich nicht.»

«Gib mir die Taschenlampe.»

Sie knöpfte ihre Jacke zu und stieg vorsichtig aus, versank erst bis zu den Knien im Schnee und kletterte dann auf die Straße hoch, bis sie festen Boden unter den Füßen spürte. Es war naß und eiskalt, und trotz der Taschenlampe sah sie in dem dichten Schneegestöber kaum die Hand vor den Augen. Die wirbelnden Flocken hielten einen zum Narren; man sah nichts mehr und konnte leicht vollkommen die Orientierung verlieren.

Sie ging ein paar Schritte auf der Straße und leuchtete die Steinmauer ab, die ihnen zum Verhängnis geworden war. Nach ungefähr zehn Metern wölbte sich die Mauer nach innen und mündete in eine Art Einfahrt. Sie folgte der Biegung, bis sie an einen Torpfosten und ein Holztor kam. Es stand offen. Ganz oben hing ein Schild. Mit zusammengekniffenen Augen leuchtete Caroline gegen den Schnee hinauf und entzifferte mühsam die Aufschrift: CAIRNEY. PRIVAT.

Sie knipste die Taschenlampe aus und starrte in die Finsternis hinter dem Tor. Dort lag offenbar eine Allee; sie hörte, wie der Wind hoch droben durch kahle Äste heulte, und dann erspähte sie, ganz in der Ferne, durch das Gewirbel der Flocken hindurch, ein einzelnes Licht.

Sie drehte sich um und kämpfte sich so schnell wie möglich zu Jody zurück. Mit einem Ruck riß sie die Beifahrertür auf. «Wir haben Glück!»

«Wieso?»

«Diese Mauer, die gehört zu einem Gut oder einem Hof oder irgendwas. Da vorn ist ein Tor und eine Einfahrt. Und man sieht ein Licht. Es ist höchstens eine halbe Meile hin.»

«Aber der Mann an der Tankstelle hat gesagt, wir sollen im Auto bleiben.»

«Wenn wir hierbleiben, erfrieren wir. Komm, es stürmt und schneit zwar fürchterlich, aber wir schaffen es schon, es ist nicht so weit. Laß den Rucksack hier, nimm bloß die Taschen. Und mach deine Jacke zu.»

Er gehorchte und kletterte mit Mühe aus dem schräg stehenden Auto. Man durfte jetzt vor allem keine Zeit verlieren, soviel war Caroline klar. In ihren Londoner Frühlingssachen waren weder sie noch Jody für diese Polarkälte gerüstet. Beide trugen Jeans und dünne Schuhe; Caroline hatte eine Wildlederjacke und ein Baumwolltuch, das sie sich um den Kopf schlingen konnte, aber Jodys blaue Windjacke war erbärmlich dünn, und für den Kopf hatte er gar nichts.

«Willst du das Tuch um den Kopf?» Der Wind riß ihr die Worte aus dem Mund.

Er war empört. «Ach Quatsch!»

«Kannst du deine Tasche tragen?»

«Natürlich.»

Das Auto war bereits dick verschneit, die Konturen hatten sich verwischt, und bald würde es vollkommen eingeschneit und nicht mehr zu erkennen sein.

«Meinst du, da fährt jemand drauf?»

«Das glaub ich nicht. Außerdem können wir sowieso

nichts machen. Selbst wenn wir das Licht anlassen, deckt der Schnee es doch einfach zu.» Sie nahm ihn an der Hand. «Jetzt komm, reden wir nicht so viel, wir müssen uns beeilen.»

Sie führte ihn zu der Einfahrt, indem sie ihren eigenen, immer schwerer erkennbaren Fußspuren nachging. Hinter dem Tor tauchte die Dunkelheit in einen schwarzen, schneeflimmernden Tunnel. Doch das Licht war noch da – ein bloßer Stecknadelkopf in der Ferne. Hand in Hand, die Köpfe gegen den Sturm gesenkt, machten sie sich auf den Weg.

Es war eine unheimliche Wanderung. Sie hatte sämtliche Elemente gegen sich. In Sekundenschnelle waren sie klatschnaß und schlotterten vor Kälte. Die kleinen Reisetaschen, die ihnen so leicht vorgekommen waren, wogen mit jedem Schritt mehr. Der schwere, nasse Schnee fiel darauf und setzte sich wie Kleister daran fest. Hoch über ihnen knarrten die kahlen Äste unter den peitschenden Sturmböen. Ab und zu hörte man, wie einer abbrach, auf dem Boden aufschlug und krachend zersplitterte.

Jody wollte etwas sagen. «Hoffentlich…» Mit eingefrorenen Backen und klappernden Zähnen brachte er den Satz schließlich heraus. «Hoffentlich fällt uns kein Baum drauf.»

«Das hoff ich auch.»

«Und mein Anorak soll angeblich wasserdicht sein.» Er klang vorwurfsvoll. «Ich bin aber schon klatschnaß.»

«Das ist ein Blizzard, Jody, und kein Sommerregen.»

Das Licht brannte immer noch, ein bißchen heller vielleicht und ein bißchen näher, aber mittlerweile kam es Caroline vor, als wären sie seit Ewigkeiten unterwegs. Es war wie eine endlose Reise in einem Alptraum, einem tanzenden Irrlicht folgend, das man nie ganz erreicht. Sie hatte die Hoffnung, irgendwo anzukommen, bereits aufgegeben, als sich die Finsternis plötzlich lichtete, das Rauschen der Bäume hinter ihnen leiser wurde und sie begriff, daß sie am Ende der Auffahrt angelangt waren. Im selben Moment verschwand das Licht hinter einem unförmigen Gebilde, das nach einer Gruppe verschneiter Rhododendronsträucher aussah. Doch als sie sich daran vorbeigetastet hatten, tauchte es wieder auf, und jetzt war es ganz nah. Sie stolperten über einen Schneehaufen. Jody wäre fast gestürzt, und Caroline zog ihn am Ärmel wieder hoch.

«Keine Angst, wir sind auf einer Wiese oder so, wahrscheinlich gehört sie zu einem Garten.»

«Komm», sagte Jody. Mehr brachte er nicht heraus.

Jetzt nahm das Licht Gestalt an; es drang aus einem Fenster im ersten Stock durch die offenen Vorhänge. Sie stapften über eine freie Fläche auf das Haus zu. Dunkel ragte es vor ihnen auf; die Konturen waren zwar vom Schnee verwischt, aber inzwischen erkannte man noch weitere Lichter, die im Erdgeschoß durch schwere Vorhänge schwach nach außen schimmerten.

«Es ist riesig», flüsterte Jody.

Das war es allerdings. «Um so mehr Platz für uns», sagte Caroline, war sich aber nicht sicher, ob Jody das gehört hatte. Sie ließ seine Hand los und kramte mit steifgefrorenen Fingern in ihrer Jacke nach der Taschenlampe. Der schwache Schein fiel auf eine verschneite Steintreppe, die in die schwarzen Tiefen einer Veranda hinaufführte. Sie stiegen hinauf, und mit einem Schlag waren sie aus dem Schneegestöber heraus. Der Strahl der Taschenlampe wanderte über die Haustür und blieb an einem schmiedeeisernen Klingelzug hängen. Caroline stellte ihre Tasche ab und zog daran. Er ging steif und schwer und bewirkte offensichtlich nicht das Geringste. Sie probierte es noch einmal, mit etwas mehr Kraft, und diesmal klingelte es, hohl und fern, irgendwo im hinteren Teil des Hauses.

«Jedenfalls geht sie.» Sie drehte sich zu Jody um und streifte dabei unabsichtlich mit dem Lichtkegel Jodys Gesicht. Er war grau vor Kälte, die Haare klebten ihm am Kopf, und er klapperte erbärmlich mit den Zähnen. Sie machte die Lampe aus, legte ihm den Arm um die Schultern und zog ihn an sich. «Jetzt wird alles wieder gut.»

«Hoffentlich», sagte Jody kläglich. «Nicht, daß so ein gräßlicher Butler kommt – ‹Sir, Sie haben geklingelt?› – wie in den Horrorfilmen immer.»

Das hoffte Caroline auch. Sie wollte gerade ein zweites Mal läuten, als sie Schritte hörte. Ein Hund bellte, und eine tiefe Stimme befahl ihm, ruhig zu sein. Lichter flammten in den schmalen Fenstern zu beiden Seiten der Tür auf, die Schritte kamen näher, und dann öffnete die Tür sich mit einem Ruck, und ein Mann mit einem hechelnden Labrador an der Seite stand vor ihnen.

«Sei ruhig, Lisa», sagte er zu dem Hund. Und dann: «Ja, bitte?»

Caroline machte den Mund auf, aber es wollte ihr nichts einfallen. Sie stand einfach da, einen Arm um Jody, und vielleicht war das das beste, was sie machen konnte, denn ohne ein weiteres Wort wurde ihre Tasche hochgehoben, sie wurden beide ins Haus gezogen, und dann fiel die schwere Tür ins Schloß, und die Sturmnacht blieb draußen.

Der Alptraum war vorbei. Sie spürten die Wärme des Hauses. Sie waren in Sicherheit.

4

Was Oliver in seiner Verblüffung als erstes auffiel, war ihr Alter. Was hatten zwei Kinder bei einem solchen Wetter nachts um halb zwölf draußen verloren? Wo kamen sie mit diesen Reisetaschen her, und wo um alles in der Welt wollten sie hin? Noch während ihm diese Fragen durch den Kopf schossen, begriff er, daß man sie auf später verschieben mußte. Im Augenblick war nur wichtig, daß die beiden aus ihren nassen Kleidern und in die heiße Badewanne kamen, sonst würden sie sich noch den Tod holen.

Deshalb verschwendete er keine Zeit mit langen Erklärungen, sondern sagte nur: «Kommt mit.» Er drehte sich um und lief im Sturmschritt die Treppe hinauf. Nach kurzem Zögern folgten sie ihm. Er überlegte blitzschnell. Es gab zwei Bäder. Zuerst ging er in sein eigenes, machte Licht, steckte den Stöpsel in die Wanne, drehte das warme Wasser auf und dankte dem Himmel dafür, daß zu den Dingen, die in diesem alten Haus tatsächlich bestens funktionierten, die Warmwasserinstallation gehörte.

«Du gehst hier rein», wies er das Mädchen an. «Setz dich so schnell wie möglich in die Wanne und bleib drin, bis dir wieder warm ist. Und du…» – er faßte den schlotternden Jungen am Arm, der vor lauter Nässe und Kälte alles willenlos mit sich geschehen ließ – «…du kommst mit hier rüber.» Er bugsierte ihn den langen Flur vor sich her zu dem Bad hinter dem alten Kinderzimmer. Das hatte zwar seit einiger Zeit keiner mehr benutzt, es war aber dank der Wasserrohre einigermaßen warm. Oliver zog die alten, verschossenen Vorhänge mit den Beatrix-Potter-Figuren zu und drehte auch hier das heiße Wasser auf.

Der Junge nestelte bereits an seinen Anorakknöpfen.

«Schaffst du das allein?»

«Ja, danke.»

«Ich komme gleich wieder.»

«Gut.»

Er überließ den Jungen sich selbst. Vor der Tür blieb er einen Augenblick stehen und überlegte, was als nächstes zu tun sei. Natürlich mußten die beiden hier übernachten, sie konnten um diese Zeit ja nirgends mehr hin. Also machte er kehrt und ging den Korridor wieder zurück, ins ehemalige Elternschlafzimmer, das Charles als Gästezimmer benutzt hatte. Es war zwar eiskalt, doch darin stand ein elektrischer Heizstrahler, der schnell funktionierte. Oliver zog die schweren Vorhänge zu, deckte das Bett auf und stellte zu seiner Erleichterung fest, daß Mrs. Cooper es frisch bezogen hatte, und zwar mit der besten Bettwäsche und den Kopfkissenbezügen mit Hohlsaum. Vom Gästezimmer führte eine Tür in ein kleines ehemaliges Ankleidezimmer, in dem ein Einzelbett stand, das zum Glück ebenfalls bezogen war; allerdings war es auch dort wieder sehr kalt. Nachdem er erneut Vorhänge zugezogen und Heizstrahler angedreht hatte, ging er wieder nach unten, nahm die beiden kleinen Reisetaschen, die in der Eingangshalle stehengeblieben waren, und trug sie in die Bibliothek. Das Feuer im Kamin war fast ausgegangen. Er hatte schon ins Bett gehen wollen, als ihn die Klingel vorhin aufschreckte, aber jetzt schürte er wieder kräftig nach und stellte dann ein kupfernes Kamingitter vor die prasselnden Funken.

Er zog den Reißverschluß an der einen Tasche auf und holte einen blauweiß gestreiften Schlafanzug, ein Paar Pantoffeln und einen grauen, wollenen Morgenmantel heraus.

Die Sachen waren etwas feucht, also hängte er sie zum Trocknen über das Kamingitter, wobei er sich vorkam wie ein fürsorgliches Kindermädchen. In der anderen Reisetasche fand sich nichts auch nur annähernd so Handfestes wie ein blauweiß gestreifter Schlafanzug, sondern lediglich Töpfe und Tiegel, eine Haarbürste samt Kamm, ein Paar goldene Sandaletten und ganz unten ein Nachthemd mit passendem Negligé: hellblau, mit viel Spitze, hoffnungslos unpraktisch. Oliver drapierte das Nachthemd neben den Schlafanzug. Er fand den Anblick plötzlich äußerst anzüglich und gestattete sich ein Grinsen, bevor er sich auf den Weg in die Küche machte, um für seine Gäste etwas Kräftiges zum Essen zu suchen.

Mrs. Cooper hatte Oliver zum Abendessen eine Gemüsebrühe gekocht, von der noch die Hälfte übrig war. Als er den Topf bereits aufgesetzt hatte, fiel ihm allerdings ein, daß Gemüsebrühe in den seltensten Fällen zu den Lieblingsspeisen kleiner Jungen zählte, weshalb er noch eine Dose Tomatensuppe öffnete und in einen zweiten Topf leerte. Dann schnitt er Brot, richtete es mit der Butter zusammen auf ein Tablett, legte noch ein paar Äpfel dazu und stellte einen Krug Milch daneben. Nach einem prüfenden Blick auf dieses gediegene Mahl ergänzte er es mit einer Flasche Whisky, obgleich er den wohl allein trinken mußte. Schließlich förderte er aus irgendeiner Schublade tatsächlich noch ein paar Wärmflaschen zutage, füllte sie auf – der große Wasserkessel stand zum Glück noch auf der Wärmplatte – und ging damit in die Bibliothek zurück, um die Sachen der beiden zu holen, die jetzt warm und trocken waren und anheimelnd rochen: irgendwie nach altmodischem Kinderzimmer. Oliver packte die Wärmflaschen in die Gästebetten, holte aus seinem eigenen Zimmer einen Shetland-Pulli und einen dicken Morgenmantel, und schließlich nahm er noch ein paar Badetücher aus dem Wäscheschrank.

Er hämmerte mit der Faust an die Badtür. «Na, wie steht's?»

«Es ist herrlich! Mir ist schon fast wieder warm», rief die Mädchenstimme.

«Ich lege ein Handtuch und ein paar Kleider vor die Tür. Aber laß dir nur Zeit.»

«Vielen Dank.»

Beim anderen Bad machte er einfach die Tür auf. Der Junge lag bis zur Nasenspitze unter Wasser und paddelte im Zeitlupentempo mit den Beinen. Er wandte den Kopf, schien aber durch Olivers plötzliches Auftauchen nicht im geringsten in Verlegenheit gebracht.

«Wie geht's dir inzwischen?»

«Viel besser, danke. So durchgefroren war ich überhaupt noch nie.»

Oliver zog einen Stuhl an die Wanne und leistete seinem Gast Gesellschaft.

«Was war denn los?»

Der Junge richtete sich auf. Oliver bemerkte, daß sein Rükken und seine Arme tatsächlich genauso mit Sommersprossen übersät waren wie sein Gesicht. Dazu passend hatten seine Haare selbst in ihrem klatschnassen Zustand noch einen fast leuchtendroten Schimmer. «Wir sind in den Graben gefahren», sagte er.

«Mitten im Schneesturm?»

«Genau. Da war so eine kleine Brücke, und dann ist plötzlich die Straße ganz scharf um die Kurve gegangen. Und man hat nichts gesehen vor lauter Schnee.»

«Das ist wirklich eine scheußliche Stelle, sogar bei schönem Wetter. Was ist mit dem Auto?»

«Das steht noch dort.»

«Wo wolltet ihr denn hin?»

«Nach Strathcorrie.»

«Und wo kommt ihr her?»

«Aus London.»

«Aus London?» Oliver konnte sein Staunen nicht verbergen. «Die ganze Strecke an einem Tag?»

«Ja. Wir sind heute morgen ganz früh los.»

«Und wer ist gefahren?»

«Meine Schwester.»

«Nur ihr beiden, ganz allein?»

Der Junge setzte eine würdige Miene auf. «Das genügt doch.»

«Aber natürlich», versicherte Oliver hastig. «Bloß, daß deine Schwester eigentlich noch nicht alt genug aussieht, um Auto zu fahren.»

«Sie ist aber zwanzig.»

«Ach so, dann ist sie natürlich alt genug.»

Eine kleine Pause entstand. Jody nahm einen Schwamm, drückte ihn sorgfältig aus, betupfte sich sparsam das Gesicht und strich eine nasse Strähne aus der Stirn. Als diese Aktion beendet war, sagte er: «Ich glaube, jetzt habe ich mich genug aufgewärmt. Ich kann wieder raus.»

«Na, dann komm.» Oliver empfing den Jungen mit einem ausgebreitetem Badetuch und wickelte ihn darin ein. Dann ging er in die Hocke und rubbelte ihn trocken.

«Wie heißt du eigentlich?» fragte er.

«Jody.»

«Und wie noch?»

«Cliburn.»

«Und deine Schwester?»

«Caroline.»

Oliver raffte das Handtuch zusammen und fing an, ihm die Haare zu frottieren. «Wolltet ihr aus einem bestimmten Grund nach Strathcorrie?»

«Weil da mein Bruder ist.»

«Noch ein Cliburn?»

«Ja, Angus Cliburn.»

«Könnte ich den kennen?»

«Das glaube ich nicht. Er wohnt noch nicht lang da. Er arbeitet im Hotel.»

«Aha.»

«Er macht sich wahrscheinlich ziemliche Sorgen.»

«Warum?» Oliver hielt Jody die Schlafanzugjacke hin.

«Die ist ja ganz warm», sagte Jody.

«Ich habe eure Sachen kurz vors Feuer gehängt. Warum macht sich dein Bruder Sorgen?»

«Weil wir ihm ein Telegramm geschickt haben. Er wartet auf uns. Und jetzt kommen wir nicht.»

«Das mit dem Schneesturm wird ihm kaum entgangen sein. Da denkt er sich bestimmt, daß ihr irgendwo untergekrochen seid.»

«Wir haben überhaupt nicht damit gerechnet, daß es schneit. In London gab es schon Krokusse und so, und an den Bäumen waren Knospen dran.»

«Tja, mein Lieber, hier sind wir eben im hohen Norden. Da kann man sich aufs Wetter nie verlassen.»

«Ich war noch nie in Schottland.» Jody zog die Schlafanzughose an und band die Schnur mit einer Schleife zu. «Caroline auch nicht.»

«Dann habt ihr mit dem Wetter ja wirklich Pech.»

«Eigentlich war es ganz schön aufregend. Ein richtiges Abenteuer.»

«Hinterher sind Abenteuer immer schön und gut, aber mittendrin findet man sie weniger lustig. Eures ist noch mal glimpflich ausgegangen.»

«Wir haben ziemlich Glück gehabt, daß wir Sie gefunden haben.»

«Das kann man wohl sagen.»

«Ist das Ihr Haus?»

«Ja.»

«Wohnen Sie da ganz allein?»

«Im Augenblick schon.»

«Heißt das Haus irgendwie?»

«Ja. Cairney.»

«Und wie heißen Sie?»

«Genauso. Cairney. Oliver Cairney.»

«Ist das in Schottland immer so?»

Oliver grinste. «Nein, aber manchmal. So, wenn du fertig bist, holen wir deine Schwester, und dann gibt's was zu essen.» Er machte die Tür auf. «Übrigens, magst du lieber Gemüsebrühe oder Tomatensuppe?»

«Tomatensuppe, wenn Sie welche dahaben.»

«Hab ich mir fast gedacht.»

Auf dem Korridor kam ihnen Caroline entgegen. Sie versank förmlich in Olivers Bademantel, so daß sie ihm noch dünner und schmächtiger vorkam als auf den ersten Blick.

«Ich weiß gar nicht, wie ich Ihnen danken soll. Ich fühle mich wie neugeboren.»

«Wir sind gerade auf dem Weg in die Küche.»

«Ich fürchte, wir fallen Ihnen schrecklich zur Last.»

«Sie fallen mir nur zur Last, wenn Sie mir beide krank werden und ich Sie pflegen muß.»

Auf dem Weg nach unten hörte er, wie Jody Caroline höchst befriedigt zuraunte: «Er hat Tomatensuppe, sagt er.»

Vor der Küchentür blieb er stehen. «Hier geht es in die Bibliothek. Geht schon voraus, ich bringe euch dann euer Abendessen. Und legt noch ein paar Holzscheite nach, damit das Feuer richtig schön brennt.»

Die Suppe blubberte leise vor sich hin. Er schöpfte zwei Tassen voll und trug das beladene Tablett in die Bibliothek. Jody saß auf einem Hocker vor dem Feuer, seine Schwester kniete daneben auf dem Kaminvorleger und trocknete sich die Haare. Dazwischen saß Lisa, hatte Jody den Kopf aufs Knie gelegt und ließ sich von ihm an den Ohren kraulen.

«Wie heißt denn der Hund?» fragte Jody.

«Lisa. Hat sie sich schon mit dir angefreundet?»

«Ich glaub schon.»

«So schnell geht das bei ihr sonst nie.» Er schob auf dem Couchtisch ein paar Hefte und alte Zeitungen beiseite und stellte das Tablett ab.

«Ist das Ihr Hund?»

«Im Augenblick ja. Habt ihr auch einen?»

«Nein.» Das klang unheilschwanger. Oliver wechselte vorsichtshalber das Thema. «Eßt doch die Suppe, bevor sie kalt wird.» Und während die beiden brav zu ihren Löffeln griffen, stellte er das Kamingitter weg, legte noch ein Holzscheit nach, schenkte sich einen Whisky-Soda ein und machte es sich in dem alten, durchgesessenen Lehnstuhl bequem.

Sie aßen schweigend. Jody war mit seiner Tasse bald fertig, hatte sämtliches Brot samt Butter vertilgt, mehrere Gläser Milch getrunken und machte sich nun über die Äpfel her, doch seine Schwester probierte nur ein paarmal zaghaft von der Suppe und schob dann den Teller weg.

«Schmeckt's nicht?»

«Doch, vorzüglich. Aber ich kann nicht mehr.»

«Haben Sie denn keinen Hunger? Sie müssen doch Hunger haben.»

Jody schaltete sich ein. «Hat sie nie.»

«Ein Gläschen vielleicht?»

«Nein, danke.»

Damit war das Thema beendet. «Ihr Bruder und ich haben uns vorhin ein bißchen unterhalten, als er in der Badewanne saß. Sie sind also Jody und Caroline Cliburn.»

«Ja.»

«Und ich heiße Oliver Cairney. Hat er Ihnen das schon erzählt?»

«Gerade eben.»

«Jody hat mir gesagt, daß Ihr anderer Bruder Sie in Strathcorrie erwartet. Es ist zwar schon fast zwölf, aber wenn Sie möchten, probiere ich, ob ich mit dem Telefon durchkomme. Irgendein Nachtportier in seinem Hotel wird wohl noch Dienst haben.»

Sie warf ihm einen dankbaren Blick zu. «Ach, würden Sie das tun?»

«Versuchen kann ich es jedenfalls.» Aber das Telefon war tot. Oliver seufzte und legte auf. «Wahrscheinlich hat es bei dem Sturm die Leitungen erwischt.»

«Was machen wir denn jetzt?»

«Sie können gar nichts machen, außer hier zu übernachten.»

«Aber Angus...»

«Der wird sich schon zusammenreimen, daß Sie irgendwo Zwischenstation machen mußten.»

«Und morgen?»

«Kommen Sie irgendwie nach Strathcorrie, vorausgesetzt, die Straße ist nicht gesperrt. Wenn alle Stricke reißen, fahre ich Sie mit dem Landrover hin.»

«Und wenn die Straße gesperrt ist?»

«Darüber zerbrechen wir uns den Kopf, wenn es soweit ist.»

«Die Sache ist nämlich die... wir haben nicht besonders viel Zeit. Am Freitag müssen wir spätestens wieder in London sein.»

Oliver sah auf sein Glas hinunter und schwenkte es leicht. «Sollten wir in London vielleicht irgend jemanden benachrichtigen? Daß Sie in Sicherheit sind?»

Jody warf seiner Schwester einen Blick zu. Nach kurzem Zögern sagte sie: «Aber die Leitungen sind doch tot.»

«Und wenn sie wieder funktionieren?»

«Nein. Wir müssen niemanden benachrichtigen.»

Das war bestimmt gelogen. Er sah sie an, bemerkte die hohen Wangenknochen, die kurze stumpfe Nase und den breiten Mund. Sie hatte hellblonde, sehr lange, seidige Haare, und im Moment dunkle Ringe unter den Augen. Einen Augenblick trafen sich ihre Blicke, dann sah sie weg. Oliver beschloß, nicht weiter nachzubohren. «Ich dachte ja nur», sagte er sanft.

Als Caroline am nächsten Morgen aufwachte, leuchtete das Schneelicht von draußen hell an der weißen Zimmerdecke. Noch ganz verschlafen lag sie unter einem Berg von Daunen und frischem Bettzeug; irgendwo bellte ein Hund, und dann näherte sich das Tuckern eines Traktors. Auf ihrer Uhr war es bereits neun vorbei. Sie tappte zum Fenster hinüber, und als sie die rosa Vorhänge aufzog, schlug ihr so gleißendes Licht entgegen, daß sie die Augen zukneifen mußte.

Die Welt war weiß, der Himmel wolkenlos und strahlend blau. Lange Schatten lagen über der verschneiten Erde, und alles wirkte rund und weich. Der Schnee hatte die Kiefern in Watte verpackt und den Zaunpfählen weiße Mützen aufgesetzt. Caroline öffnete schwungvoll das Fenster und beugte sich hinaus. Die Luft war kalt und so erfrischend wie ein prikkelndes Glas Sekt.

Die Schrecken der vergangenen Nacht fielen ihr wieder ein, und sie versuchte sich zu orientieren. Vor dem Haus lag eine große freie Fläche, vermutlich eine Wiese, die von der Auffahrt umrahmt wurde. Dahinter führte die Allee, auf der Jody und sie sich so mühsam vorangekämpft hatten, über einen Hügel, und in der Ferne schlängelte sich die Landstraße zwischen Steinmauern durch die Felder. Ein einsames Auto kroch am Horizont dahin.

Der Traktor, den Caroline gehört hatte, kam die Allee herauf. Er tauchte hinter einem großen Rhododendronbusch auf, arbeitete sich an der Wiese entlang und verschwand hinter dem Haus.

Es war einfach zu kalt draußen. Sie zog sich wieder ins Zimmer zurück und schloß das Fenster. Jody fiel ihr ein, sofort steckte sie den Kopf in sein Zimmer. Alles dunkel und still; außer seinem Atem war nichts zu hören. Er schlief noch fest. Sie machte die Tür leise wieder zu und sah sich nach etwas zum Anziehen um. Da sie außer dem Pullover und dem geliehenen Morgenmantel nichts fand, warf sie sich beides über und tappte barfuß den Flur hinunter. Vielleicht begegnete sie ja jemandem, der ihr weiterhelfen konnte.

Jetzt merkte sie erst, wie riesig das Haus war. Der Korridor mündete in einen großen Vorplatz mit Teppichen und einem Nußbaumsekretär sowie einem Tisch mit Stühlen, auf den jemand einen Stoß ordentlich gebügelter Hemden gelegt hatte. Am Treppenabsatz blieb sie lauschend stehen. Als sie von ferne Stimmen hörte, folgte sie ihnen nach unten, bis sie vor einer Tür stand, die allem Anschein nach in die Küche führte. Als sie eintrat, unterbrachen die beiden, die dort miteinander redeten, abrupt ihre Unterhaltung und drehten sich zu ihr um.

Oliver Cairney saß in einem dicken, cremefarbenen Pullover am Küchentisch, eine große Tasse Tee in der Hand. Die Frau, mit der er gesprochen hatte, stand mit hochgekrempelten Ärmeln an der Spüle. Sie war etwa Mitte vierzig, hatte graues Haar und eine geblümte Schürze um. Es war warm in der Küche, und es duftete nach frischgebackenem Brot. Caroline kam sich wie ein Eindringling vor. «Entschuldigung», sagte sie.

«Kein Grund, sich zu entschuldigen. Ich dachte, Sie schlafen beide bis mittag.»

«Jody schläft auch noch.»

«Das ist Mrs. Cooper. Mrs. Cooper, das ist Caroline Cliburn. Ich habe Mrs. Cooper gerade von Ihrem Abenteuer gestern erzählt.»

Mrs. Cooper seufzte. «Das war ja eine Nacht, du lieber Gott. Die ganzen Telefonleitungen sind unterbrochen.»

Caroline sah Oliver an. «Heißt das, wir kommen immer noch nicht durch?»

«Genau. Vermutlich auch noch eine ganze Weile nicht. Setzen Sie sich doch, und trinken Sie eine Tasse Tee. Was möchten Sie zum Frühstück? Ei mit Schinken?»

Sie hatte nicht den geringsten Appetit. «Eine Tasse Tee gern, danke.» Er zog ihr einen Stuhl heraus, und sie setzte sich an den gescheuerten Tisch. «Sind wir denn eingeschneit?»

«Zum Teil. Die Straße nach Strathcorrie ist gesperrt, aber nach Relkirk kommt man schon.»

Caroline sah ihn erschrocken an. «Und… das Auto?» Sie traute sich kaum zu fragen.

«Cooper ist mit dem Traktor hingefahren und sieht sich die Sache an.»

«Mit einem roten Traktor?»

«Ja.»

«Den habe ich vorhin wieder hochkommen sehen.»

«Dann geht sicher gleich die Tür auf, und Cooper sagt uns Bescheid.» Er hatte noch eine Tasse auf den Tisch gestellt und schenkte Caroline aus der braunen Teekanne ein, die auf dem Ofen gemütlich vor sich hin dampfte. Der Tee war zwar furchtbar stark, aber immerhin auch schön heiß. Sie trank vorsichtig einen kleinen Schluck. «Ich kann meine Sachen nicht finden», sagte sie.

«Das ist meine Schuld», sagte Mrs. Cooper. «Ich hab sie aufgehängt. Inzwischen müßten sie eigentlich trocken sein.

Du lieber Gott, Sie müssen ja wirklich naß bis auf die Haut gewesen sein.» Sie schüttelte den Kopf.

«Das waren sie auch», sagte Oliver. «Wie die getauften Mäuse.»

Als Caroline fix und fertig angezogen wieder herunterkam, stand Mr. Cooper bei den anderen in der Küche und erstattete Bericht. Er hatte einen so starken schottischen Akzent, daß Caroline ihn nur mit Mühe verstand.

«Aye, aus dem Graben kriegen wir ihn schon, aber der Motor gibt bestimmt keinen Muckser mehr von sich.»

«Wieso nicht?»

«Kühler eingefroren, könnt ich mir vorstellen.»

Oliver sah Caroline an. «Haben Sie denn kein Frostschutzmittel drin?»

Caroline blinzelte verständnislos.

«Frostschutzmittel», wiederholte er. «Das sagt Ihnen gar nichts?»

Sie schüttelte den Kopf, und er wandte sich wieder an Cooper. «Dann haben Sie sicher recht. Eingefroren.»

«Ich hätte also ein Frostschutzmittel irgendwo reintun sollen?»

«Genau. Im Winter empfiehlt sich das.»

«Das höre ich zum erstenmal. Wissen Sie, das Auto gehört mir nämlich gar nicht.»

«Haben Sie es womöglich geklaut?»

Mrs. Cooper schüttelte empört den Kopf. Caroline war sich nicht sicher, ob sie damit Olivers Bemerkung oder Carolines Benehmen kommentierte. «Natürlich nicht. Man hat es uns geliehen», entgegnete sie würdevoll.

«Aha. Na, wie dem auch sei, wir fahren wohl am besten mal hinunter und sehen, was sich da machen läßt.»

«Aye», sagte Cooper, schob mit einer breiten, roten Hand seine alte Schildmütze zurück und ging auf die Tür zu, «wenn

Sie den Landrover nehmen, dann such ich ein Seil und vielleicht den jungen Geordie, daß er uns hilft, und dann schauen wir, ob wir den Wagen mit dem Traktor rausziehen können.»

Als er draußen war, sah Oliver Caroline an. «Kommen Sie mit?»

«Ja.»

«Dann brauchen Sie Stiefel.»

«Ich habe aber keine.»

«Warten Sie, hier müßten irgendwo noch welche sein...»

Sie folgte ihm in die ehemalige Waschküche im Keller, die inzwischen Regenmäntel, Gummistiefel, Hundekörbe, diverse rostige Fahrräder und eine nagelneue Waschmaschine beherbergte. Nach längerem Suchen förderte Oliver ein Paar Gummistiefel zutage, die einigermaßen paßten, sowie eine schwarze Öljacke. Caroline schlüpfte in beides, schnippte die Haare aus dem Kragen und trat, solchermaßen gewappnet, hinter ihm hinaus in den glitzernden Vormittag.

«Winterschnee und Frühlingssonne», sagte Oliver befriedigt, während sie durch den knirschenden Schnee auf die Garage zugingen.

«Ob der Schnee liegenbleibt?»

«Wahrscheinlich nicht. Obwohl erst ganz schön was schmelzen muß. Fünfzehn Zentimeter hat es gestern nacht geschneit.»

«In London war schon Frühling.»

«Das hat Ihr Bruder auch erzählt.»

Er zog einen Riegel auf und öffnete das breite Doppeltor der Garage. Zwei Autos standen darin, der dunkelgrüne Sportwagen und der Landrover. «Wir nehmen den Landrover», sagte er, «sonst bleiben wir selber noch stecken.»

Caroline stieg ein. Sie fuhren rückwärts aus der Garage, am Haus vorbei und dann die Allee hinunter, immer sorgfältig in den dunklen Reifenspuren, die Mr. Cooper mit dem Traktor gezogen hatte. Es war vollkommen still, der Schnee schluckte alle Geräusche, und doch war überall ringsum Leben: Spuren schlängelten sich zwischen den Bäumen hindurch, und hier und dort sah man kleine sternförmige Vogeltritte. Hoch oben verschränkten sich die Äste der Buchen zu einem Baldachin, durch den der hellblaue Vormittagshimmel schimmerte wie durch weiße Spitze.

Sie fuhren aus dem Tor ins blendendhelle Sonnenlicht der Landstraße. Vor der Kurve zu der Unglücksbrücke hielt Oliver am Straßenrand an. Sie stiegen aus und stapften gemeinsam auf Calebs Mini zu. Er bot einen trostlosen Anblick. Dick verschneit und schief im Graben hängend, wirkte er wie tot und einbalsamiert. Jedenfalls sah es nicht so aus, als würde er sich je wieder auch nur einen Zentimeter von der Stelle bewegen. Caroline bekam ein fürchterlich schlechtes Gewissen.

Oliver schaffte es, die Tür aufzustemmen, und setzte sich vorsichtig halb auf den Fahrersitz. Als er den Zündschlüssel drehte, den Caroline einfach hatte steckenlassen, wimmerte der Motor gequält auf, und dann roch es verbrannt. Wortlos stieg er wieder aus und schlug die Tür zu. «Hoffnungslos», hörte sie ihn murmeln und kam sich zu ihrem schlechten Gewissen auch noch ausgesprochen dumm vor.

«Ich wußte das mit dem Frostschutzmittel nicht, ich habe Ihnen ja gesagt, daß es nicht mein Auto ist», sagte sie aus einem unbestimmten Gefühl heraus, sich verteidigen zu müssen.

Er gab darauf keine Antwort, sondern ging ums Auto, kratzte mit dem Fuß den Schnee von den Hinterreifen und inspizierte die Hinterachse.

Caroline fand das Ganze ziemlich unerträglich und war plötzlich den Tränen nahe. Alles ging schief. Jody und sie saßen hier bei diesem Unmenschen fest, Calebs Auto war kaputt, die Telefonverbindung nach Strathcorrie funktionierte nicht, und die Straße war unpassierbar. Mit den Tränen kämpfend, wandte sie sich ab und blickte die Straße hinunter, die sich durch die Landschaft schlängelte und in der Ferne hinter einem Hügel verschwand. Der Schnee lag dick und weiß zwischen den Steinmauern; eine Brise erhob sich, als sei sie die kleine Schwester der Sturmböen vom Vorabend, und wirbelte Schnee von den Feldern in einer Wolke auf die Haufen, die bereits wie glitzernde Skulpturen in den Mauerwinkeln lagen. Irgendwo in der Vormittagsstille segelte ein Brachvogel vom Himmel herab, mit seinem langgezogenen, perlenden Schrei. Dann war die Luft wieder regungslos.

Hinter ihr quietschten Olivers Schritte über den Schnee. Die Hände tief in den Taschen der geliehenen Öljacke vergraben, drehte sie sich zu ihm um.

«Der ist schachmatt, fürchte ich», sagte er.

Caroline bekam einen Riesenschreck. «Kann man ihn denn nicht wieder reparieren?»

«Doch. Cooper zieht ihn mit dem Traktor heraus und schleppt ihn in die Werkstatt gleich da drüben. Der Mann dort versteht sein Handwerk. Morgen, spätestens übermorgen ist Ihr Mini wieder startklar.» Als er ihre unglückliche Miene sah, fügte er aufmunternd hinzu: «Selbst mit Auto kämen Sie heute ja nicht nach Strathcorrie. Die Straße ist schließlich unpassierbar.» Als ob das ein Trost sei.

«Wann meinen Sie denn, daß sie wieder frei ist?»

«Sobald der Schneepflug durchkommt. Bei einem solchen Schneesturm, noch dazu am Ende des Winters, geht eben alles drunter und drüber. Wir müssen einfach Geduld haben.»

Er hielt ihr die Tür des Landrover auf, und Caroline stieg zögernd ein. Dann ging er ums Auto herum und setzte sich hinters Steuer. Doch statt zum Haus zurückzufahren, zündete er sich eine Zigarette an und rauchte, scheinbar gedankenverloren, vor sich hin.

Caroline fühlte sich ausgesprochen unwohl. In einem Auto saß es sich nett mit jemandem, den man mochte, viel weniger nett aber mit jemandem, der einem lauter unangenehme Fragen stellte. Gleich darauf bestätigten sich ihre Befürchtungen.

«Wann müssen Sie wieder in London sein?» fragte er.

«Am Freitag. Da wollten wir zurück sein, das haben wir ausgemacht.»

«Mit wem?»

«Mit Caleb. Mit dem, der uns das Auto geliehen hat.»

«Und was ist mit Ihren Eltern?»

«Unsere Eltern sind tot.»

«Und sonst jemand? Es muß doch noch irgend jemanden geben. Ich kann mir nicht vorstellen, daß Sie beide ganz allein einen Haushalt führen.» Bei dem Gedanken mußte Oliver unwillkürlich grinsen. «Da würden ja die schauerlichsten Katastrophen drohen.»

Caroline fand das nicht besonders witzig. «Wir wohnen bei meiner Stiefmutter, wenn Sie es genau wissen wollen», sagte sie kühl.

«Aha», sagte Oliver mit einem vielsagenden Blick.

«Was heißt ‹aha›?»

«Die böse Stiefmutter.»

«Keineswegs. Sie ist sogar sehr lieb.»

«Aber sie hat keine Ahnung, wo Sie sind?»

«Doch», sagte Caroline, fast ohne zu zögern. Und dann, ein wenig überzeugender: «Doch. Sie weiß, daß wir in Schottland sind.»

«Weiß sie auch, warum? Weiß sie das mit Ihrem Bruder Angus?»

«Ja, das weiß sie auch.»

«Und... daß Sie so weit reisen, um Angus zu besuchen – hat das irgendeinen besonderen Grund, oder wollten Sie einfach mal bei ihm vorbeischauen?»

«So ungefähr.»

«Das ist keine Antwort.»

«Nein?»

Darauf folgte eine lange Pause. Nach einer Weile sagte Oliver täuschend sanft: «Sehen Sie, ich habe das ungute Gefühl, daß ich mich hier auf sehr dünnem Eis befinde. Und Sie sollten wissen, daß mir vollkommen egal ist, was Sie vorhaben, aber für Ihren Bruder fühle ich mich einfach ein bißchen verantwortlich, schließlich ist er erst – elf, oder wie alt?»

«Für Jody übernehme ich schon die Verantwortung.»

Er sah sie ernst an. «Sie hätten gestern nacht beide umkommen können. Ist Ihnen das klar?»

«Aber ich habe doch das Licht gesehen, bevor wir losgegangen sind», protestierte Caroline. «Sonst wären wir einfach im Auto sitzen geblieben und hätten abgewartet, bis der Sturm vorbei ist.»

«Mit einem Blizzard muß man in dieser Gegend immer rechnen. Sie haben verdammtes Glück gehabt.»

«Und Sie waren sehr nett zu uns – ach, mehr als das. Ich habe mich noch überhaupt nicht richtig bedankt. Aber trotzdem finde ich, daß wir so schnell wie möglich zu Angus weiterfahren sollten, um Ihnen nicht unnötig zur Last zu fallen.»

«Warten wir ab, wie sich das Wetter entwickelt. Übrigens muß ich heute noch weg, ich bin zum Mittagessen in Relkirk verabredet, aber Mrs. Cooper wird Ihnen und Jody etwas zu essen machen, und wenn ich zurückkomme, ist die Straße nach Strathcorrie vielleicht schon wieder frei, dann kann ich Sie beide hinfahren und bei Ihrem Bruder abliefern.»

Nach kurzer Überlegung kam Caroline zu dem Schluß, daß ein Treffen zwischen Oliver Cairney und Angus Cliburn im Zweifelsfall nicht besonders angenehm verlaufen würde.

«Vielleicht kommt man ja auch…»

«Nein.» Oliver beugte sich vor und drückte seine Zigarette

100

aus. «Nein, man kommt sonst eben nicht nach Strathcorrie, höchstens mit dem Flugzeug. Also bleiben Sie schön brav auf Cairney und warten, bis ich wieder da bin.»

Caroline machte den Mund auf, um zu widersprechen, sah seinen Blick und klappte den Mund wieder zu. Sie nickte zögernd. «Also gut.»

Sie machte sich schon darauf gefaßt, daß er noch weiter bohren würde, doch dann wurde er gottlob von dem herantuckernden Traktor abgelenkt. Mr. Cooper saß am Lenkrad, und auf dem Sitz hinter ihm hockte ein Junge mit einer Strickmütze. Oliver stieg aus, um den beiden zu helfen, aber es war eine mühselige Angelegenheit; und als sie Calebs Auto schließlich freigeschaufelt, Sand hinter die Reifen gestreut, Seile an der Hinterachse festgezurrt und nach mehreren vergeblichen Versuchen den Wagen glücklich aus dem Graben gezogen hatten, war es kurz vor elf. Caroline sah zu, wie der kleine Trauerzug in Richtung Werkstatt aufbrach, mit Cooper vorn am Steuer des Traktors und dahinter Geordie, der sich bemühte, den Mini am Schleppseil einigermaßen gerade auf der Straße zu halten. Sie fühlte sich gräßlich.

«Hoffentlich kann man ihn reparieren», sagte sie zu Oliver, als er wieder einstieg. «Wenn das Auto mir gehören würde, wäre es ja halb so schlimm, aber ich habe Caleb versprochen, daß ich besonders gut darauf aufpasse.»

«Sie konnten ja nichts dafür, das hätte jedem passieren können. Wenn er aus der Werkstatt kommt, ist er wahrscheinlich besser in Schuß als je zuvor.» Er sah auf die Uhr. «Wir müssen los. Ich muß mich noch umziehen und will bis halb zwölf in Relkirk sein.»

Sie fuhren schweigend zum Haus zurück, parkten davor und gingen hinein. Am Fuß der Treppe blieb Oliver stehen und sah Caroline an.

«Finden Sie sich zurecht?»

«Natürlich.»

«Dann bis später.»

Caroline sah ihm nach, wie er die Treppe hinauflief, immer zwei Stufen auf einmal, schälte sich dann aus der Öljacke und den Gummistiefeln und machte sich auf die Suche nach Jody. In der Küche war niemand, aber sie fand Mrs. Cooper in einem großen Eßzimmer mit türkisem Teppich beim Staubsaugen. Als Caroline in der Tür erschien, schaltete sie den Staubsauger aus.

«Na, geht denn der Wagen wieder?»

«Hoffentlich. Ihr Mann war so nett, ihn in die Werkstatt zu schleppen. Haben Sie Jody gesehen?»

«Ja, der ist putzmunter, der Gute. Ist runtergekommen und hat bei mir in der Küche gefrühstückt. Zwei gekochte Eier, Toast mit Honig und ein Glas Milch. Dann hab ich ihm das alte Kinderzimmer gezeigt, und jetzt spielt er da oben mit den Autos und Bauklötzen und was weiß ich.»

«Wo ist denn das Kinderzimmer?»

«Kommen Sie mit, ich bringe Sie hin.»

Sie ließ ihren Staubsauger stehen und ging voraus, eine kleine Hintertreppe hinauf und durch eine Tür in einen weißgetünchten Gang mit blauem Teppichboden. «Hier hatten die Kinder früher ihr eigenes kleines Reich. Jetzt steht der ganze Teil des Hauses natürlich leer, schon seit Jahren, aber ich hab im Kamin ein Feuerchen gemacht, so daß es gemütlich warm ist.» Sie öffnete eine Tür und ließ Caroline vorausgehen, in ein großes Zimmer mit einem Fenster zum Garten hinaus. Hinter einem hohen Kamingitter brannte ein Feuer, alte Sessel und ein durchgesessenes Sofa standen herum, ein Bücherregal, ein uraltes Schaukelpferd mit abgebrochenem Schwanz, und mitten auf dem abgetretenen Teppich saß Jody in einer riesigen Burg aus Holzbauklötzen, die sich in alle vier

Ecken des Zimmers erstreckte und mit Modellautos, Spielzeugsoldaten, Cowboys, Rittern und Tieren vom Bauernhof bevölkert war. Er schaute auf, als sie hereinkam, so eifrig bei der Sache, daß es ihm gar nicht peinlich war, bei einer derart kindischen Beschäftigung erwischt zu werden.

«Wahnsinn», sagte Caroline. «Wie lang hast du denn dafür gebraucht?»

«Seit dem Frühstück. Mach den Turm nicht kaputt.»

«Keine Angst, ich paß schon auf.» Sie stieg vorsichtig darüber und stellte sich an den Kamin.

Mrs. Cooper bewunderte Jodys Werk ausgiebig. «So was Schönes hab ich ja noch nie gesehen! Und die ganzen kleinen Straßen! Du lieber Gott, der Junge hat ja jeden Stein verbaut.»

«So ungefähr.» Jody lächelte ihr zu. Die beiden verstanden sich offenbar bereits prächtig.

«Na, dann laß ich euch beide mal allein. Mittagessen gibt es um halb eins. Ich habe Apple Pie gemacht, und ein bißchen Sahne ist auch noch da. Magst du Apple Pie, Jody?»

«Und wie!»

«Gut.» Sie ging hinaus, und die beiden hörten sie vor sich hin summen. «Ist sie nicht nett?» fragte Jody und begann mit zwei hohen Klötzen ein würdiges Eingangstor zu seiner Burg.

«Sehr nett. Hast du gut geschlafen?»

«Klar. Das ist ein Superhaus.» Er stellte noch mehr Klötze auf das Tor, damit es richtig hoch wurde.

«Das Auto ist in der Werkstatt. Mr. Cooper hat es hingeschleppt. Es hätte ein Frostschutzmittel gebraucht.»

«Typisch Caleb», sagte Jody und plazierte zur Krönung vorsichtig einen Bogen auf sein Meisterwerk. Dann legte er die Wange an den Teppich, lugte durch das Tor und stellte sich vor, er sei winzig klein und könnte auf einem weißen

Hengst durchreiten, mit einer wehenden Feder am Helm und einem flatternden Banner in der Hand.

«Sag mal, gestern abend in der Badewanne, da hast du Oliver Cairney doch nichts von Angus erzählt, oder?»

«Nein. Bloß, daß wir zu ihm wollen.»

«Oder von Diana? Oder Hugh?»

«Nach denen hat er gar nicht gefragt.»

«Erzähl ihm am besten überhaupt nichts, ja?»

Jody blickte auf. «Wie lange bleiben wir denn noch hier?»

«Ach, wir sind praktisch schon weg. Heute nachmittag sind wir bei Angus, wir fahren nach Strathcorrie, sobald die Straßen geräumt sind.»

Jody sagte darauf gar nichts. Er nahm ein Pferd aus einer Schachtel, suchte einen passenden Ritter, setzte ihn in den Sattel und hielt die beiden ein Stück von sich weg, um zu sehen, ob sie auch ein wirkungsvolles Paar abgaben. Dann stellte er den Reiter vorsichtig ganz genau unter das Tor.

«Übrigens hat mir Mrs. Cooper was erzählt.«

«Was denn?»

«Das Haus ist gar nicht seins.»

«Was soll das heißen? Es muß doch seines sein.»

«Es hat seinem Bruder gehört. Oliver wohnt in London, aber sein Bruder hat hier gelebt. Er war Farmer, deshalb sind hier lauter Hunde und Traktoren und so was.»

«Und was ist mit seinem Bruder?»

«Der ist tot», sagte Jody. «Bei einem Autounfall umgekommen. Vorige Woche.»

Bei einem Autounfall umgekommen. Irgendwie fühlte Caroline sich an etwas erinnert, doch bevor ihr einfiel, woran, wurde ihr schlagartig die ganze Tragweite von Jodys ungerührter Bemerkung klar. Entsetzt schlug sie sich die Hand vor den Mund. Umgekommen.

«Deshalb ist Oliver jetzt hier.» Jody klang gelangweilt, ein typisches Zeichen dafür, daß er angespannt war und sich fürchtete. «Wegen der Beerdigung und so. Um alles aufzulösen, sagt Mrs. Cooper. Er will das Haus und die Farm verkaufen und dann nie wieder herkommen.» Er stand vorsichtig auf, stieg über sein Kunstwerk zu Caroline hinüber und blieb neben ihr stehen. Trotz aller scheinbaren Gleichgültigkeit schien er Trost plötzlich sehr nötig zu haben.

Sie nahm ihn in den Arm. «Und zu allem Überfluß müssen auch noch wir auftauchen. Der Arme.»

«Mrs. Cooper meint, daß das ganz gut ist, da denkt er nicht so viel an seinen Kummer.» Er blickte zu ihr auf. «Wann sind wir denn bei Angus?»

«Heute noch», versprach sie ohne zu zögern. «Heute noch.»

Außer dem Apple Pie mit Sahne gab es zum Mittagessen noch Hackbraten und Baked Potatoes. Caroline, die vorher gedacht hatte, sie könnte einen Bissen vertragen, verging der Hunger plötzlich, aber Jody arbeitete sich durch sämtliche Gänge und ging dann mit Genuß auf einen Riegel selbstgemachtes Karamel los.

«Und was habt ihr zwei Hübschen heute nachmittag vor? Mr. Cairney kommt wohl erst zum Tee wieder zurück.»

«Darf ich noch mal im Kinderzimmer spielen?» erkundigte sich Jody.

«Natürlich, mein Engel.» Mrs. Cooper sah Caroline an.

«Ich gehe spazieren», sagte Caroline.

«Haben Sie denn noch nicht genug von der frischen Luft?» Mrs. Cooper schien überrascht.

«Ich bin gern draußen. Im Moment ist es besonders schön mit dem ganzen Neuschnee.»

«Jetzt ziehen aber Wolken auf, der Nachmittag wird bestimmt nicht so strahlend.»

«Das stört mich nicht.»

«Macht es dir was aus, wenn ich nicht mitkomme?» fragte Jody.

«Ach wo.»

«Ich wollte nämlich noch eine Tribüne bauen, weißt du, damit man bei den Ritterspielen zuschauen kann.»

«Klar, mach nur.»

Schon ganz vertieft in seine Pläne entschuldigte sich Jody und ging nach oben, um sie in die Tat umzusetzen. Caroline bot ihre Hilfe beim Abwasch an, bekam von Mrs. Cooper aber nur zu hören, sie solle doch hinausgehen, bevor es anfange zu regnen. Also zog sie die Öljacke und die Gummistiefel wieder an, wickelte sich ein Tuch um und trat aus der Tür.

Mrs. Cooper hatte recht gehabt mit dem Wetter. Von Westen her waren Wolken aufgezogen, die Luft war seltsam milde und die Sonne verschwunden. Sie vergrub die Hände in den Taschen der Regenjacke und machte sich auf den Weg, über die Wiese, die Allee entlang und durch das Tor auf die Straße. Dort bog sie nach links ab, Richtung Strathcorrie.

Sie bleiben schön brav auf Cairney und warten, bis ich wieder da bin, hatte Oliver gesagt, und wenn sie nicht vor ihm zurück war, würde er wahrscheinlich ziemlich böse werden, aber was machte das auf lange Sicht schon aus? Sie sahen ihn doch vermutlich nie wieder. Schreiben würde sie ihm natürlich, um sich für die freundliche Aufnahme zu bedanken, aber wiedersehen würde sie ihn nicht.

Irgendwie schien es ihr nämlich wichtig, daß dieses Wiedersehen zwischen Angus und ihnen nach so langer Zeit sich nicht unter den Augen eines kritischen Fremden abspielte. Das Schlimme an Angus war ja, daß man sich nie auf ihn verlassen konnte. Er war die Unberechenbarkeit in Person, legte sich nie fest, wich immer aus – er raubte einem den letzten Nerv.

Eigentlich hatte sie von diesem abenteuerlichen Plan, Angus in Schottland zu besuchen, von vornherein nicht viel gehalten, aber Jodys Schwung hatte sie einfach angesteckt. Er war sich so sicher gewesen, daß Angus sich auf sie freuen und ihnen sofort bereitwillig helfen würde, daß er Caroline mitgerissen hatte. Von London aus hatte alles ganz leicht ausgesehen.

Aber jetzt, an diesem ungemütlichen schottischen Nachmittag, beschlichen sie wieder Zweifel. Finden würden sie Angus wahrscheinlich schon, er arbeitete schließlich in diesem Hotel in Strathcorrie, aber daß er dort Schuhe putzte und Kohlen schleppte, war noch keine Garantie dafür, daß er nicht lange Haare, einen Bart und keineswegs die Absicht hatte, seinen Geschwistern zu helfen. Sie konnte sich vorstellen, was Oliver Cairney von so einer Einstellung hielt, und spürte wieder deutlich, daß sie ihn auf keinen Fall bei dem großen Familientreffen dabeihaben wollte.

Außerdem hatte sie ja nun erfahren, daß sein Bruder gerade gestorben war, und es war ihr schrecklich peinlich, daß sie sich ihm zu einem so vollkommen unpassenden Zeitpunkt aufgedrängt und seine selbstverständlich gewährte Gastfreundschaft in Anspruch genommen hatten. Je früher er sie wieder los war, desto besser, daran bestand kein Zweifel. Also blieb ihr praktisch nichts anderes übrig, als allein loszuziehen und Angus auf eigene Faust zu suchen.

Während sie die verschneite Landstraße entlangstapfte, versuchte sie sich mit jedem Schritt einzureden, daß sie das Richtige tat.

Sie war schon über eine Stunde unterwegs und hatte keine Ahnung, wie viele Meilen sie gelaufen war, als sie von einem Lastwagen überholt wurde, der langsam die Steigung hinter ihr hinaufkeuchte. Es war der Schneepflug, der sich mit seiner riesigen Stahlschaufel durch den Schnee schob wie ein Schiff durchs Wasser und rechts und links einen matschigen Sprühregen auf die Straße schleuderte.

Caroline kletterte auf die Mauer, um ihm Platz zu machen, doch der Schneepflug blieb stehen, und einer der beiden Männer im Führerhäuschen öffnete die Tür.

«Wo möchten Sie denn hin?» rief er.

«Nach Strathcorrie.»

«Das sind ja noch sechs Meilen. Sollen wir Sie mitnehmen?»

«Ja, bitte.»

«Dann kommen Sie rauf.» Er streckte eine schwielige Hand hinaus, half ihr hinauf und rückte in die Mitte. Sein Kollege, ein viel älterer Mann, der am Steuer saß, sagte mißmutig: «Hoffentlich haben Sie's nicht eilig. Da vorn liegt der Schnee nämlich ziemlich tief.»

«Keine Angst. Wenn ich bloß nicht die ganze Strecke laufen muß.»

«Aye, das Wetter ist ganz schön naß.»

Er legte krachend den Gang ein, löste die Handbremse, und sie fuhren an, kamen allerdings nur im Schneckentempo voran. Immer wieder stiegen die beiden Männer aus und schaufelten eine Weile angestrengt einen Durchgang durch die Schneewände, die der Pflug an der Seite aufgehäuft hatte. Durch die Fenster drang feuchte Luft ins Führerhaus, und Carolines Füße verwandelten sich in den zu großen Stiefeln langsam in Eiszapfen.

Schließlich hatten sie aber doch den letzten Hügel erklommen, und der freundliche Straßenarbeiter sagte: «Da vorn liegt Strathcorrie.» Vor ihnen erstreckte sich ein tiefes, grauweißes Tal mit einem langen See, auf dessen stiller Oberfläche sich der stahlgraue Himmel widerspiegelte.

Auf der gegenüberliegenden Seite des Sees stiegen die Hü-

gel wieder an – schwarzgefleckt, wo Kiefern- und Fichten-
wälder standen –, und jenseits dieser sanften Hügel sah man
wiederum Gipfel: eine ferne Bergkette hoch im Norden. Direkt darunter, um das schmale Ende des Sees, duckte sich das
Städtchen. Caroline konnte eine Kirche und kleine Gassen
mit grauen Häusern erkennen und den Hafen mit Stegen und
Anlegeplätzen und kleinen Booten, die für den Winter aufge-
dockt waren.

«Was für ein hübscher Ort!» sagte sie.

«Aye», sagte der Straßenarbeiter. «Da kommen im Sommer auch viele Gäste hin. Man kann Segelboote mieten, es
gibt Pensionen, Wohnwagen...»

Die Straße ging bergab. Aus irgendeinem Grund lag der
Schnee hier nicht mehr so hoch, und sie kamen schneller
voran. «Wo sollen wir Sie absetzen?» fragte der Fahrer.

«Beim Hotel, beim Strathcorrie Arms. Wissen Sie, wo das
ist?»

«Aye, aber freilich.»

Die Straßen im Städtchen waren naß; der Schnee hatte sich
in grauen Matsch verwandelt und schmolz leise tropfend vor
sich hin. Der Schneepflug fuhr die Hauptstraße entlang, pas-
sierte einen gotischen Torbogen, der an irgendein längst ver-
gessenes Ereignis zu Zeiten Königin Viktorias erinnern sollte,
und hielt schließlich vor einem langen weißen Gebäude mit
Kopfsteinpflaster vor dem Eingang und einem Schild über der
Tür, das im Wind schaukelte.

Strathcorrie Arms. Herzlich willkommen.

Nichts rührte sich. «Ist es offen?» fragte Caroline zweifelnd.

«Aye, aber freilich. Sind nur nicht allzu viele Gäste hier.»

Sie bedankte sich bei den beiden, kletterte aus dem Führerhaus und trat durch die Drehtür ins Hotel. Innen roch es nach
kaltem Zigarettenrauch und Kohl; an der Wand hing ein tri-

stes Bild von einem röhrenden Hirsch auf einem Hügel, und weiter hinten stand ein Schild auf einer Theke. *Empfang* war darauf zu lesen, obwohl kein Mensch dahinter saß, der einen empfangen hätte. Immerhin stand eine Glocke da, und auf Carolines Klingeln erschien eine Frau. Sie trug ein schwarzes Kleid und eine straßbesetzte Brille und wirkte nicht gerade begeistert, daß sie mitten am Nachmittag gestört wurde, noch dazu von einem Mädchen mit Jeans, Öljacke und einem um den Kopf geschlungenen roten Tuch.

«Ja?»

«Entschuldigen Sie die Störung, aber ich hätte gern Angus Cliburn gesprochen.»

«Ach so», sagte die Frau schnell. «Tja, Angus ist nicht da.» Es klang fast ein bißchen schadenfroh.

Caroline starrte sie entgeistert an. Über ihr tickte dumpf eine Uhr. Irgendwo weiter hinten im Hotel fing eine Männerstimme an zu singen. Die Frau rückte ihre Brille zurecht.

«Also, er war bis vor kurzem hier», gestand sie immerhin ein. Sie stutzte. «Haben Sie ihm vielleicht ein Telegramm geschickt? Es liegt nämlich ein Telegramm für ihn da, aber er war schon weg, als es kam.» Sie öffnete eine Schublade und holte den orangen Umschlag heraus. «Ich mußte es aufmachen, verstehen Sie, und ich hätte Ihnen gern Bescheid gesagt, aber es stand ja kein Absender drauf.»

«Nein, natürlich...»

«Er war schon hier, doch, doch. Einen ganzen Monat lang hat er hier gearbeitet, so hier und da ausgeholfen. Wir hatten zuwenig Personal, wissen Sie.»

«Aber wo ist er denn jetzt?»

«Das kann ich Ihnen nicht genau sagen. Er ist mit einer Amerikanerin weggefahren. Sie hat hier bei uns gewohnt, und dann hatte sie niemanden, der sie fuhr, und weil wir inzwischen jemand als Ersatz für Angus hatten, haben wir ihn ziehen lassen. Als Chauffeur», fügte sie hinzu, als ob Caroline das Wort noch nie gehört hätte.

«Wann kommen sie denn wieder zurück?»

«Ach, morgen oder übermorgen. Gegen Ende der Woche, hat Mrs. McDonald gesagt.»

«Mrs. McDonald?»

«Ja, die Amerikanerin. Die Familie ihres Mannes stammt aus dieser Gegend, deshalb wollte sie unbedingt herumreisen, hat sich das Auto gemietet und Angus als Fahrer angestellt.»

Gegen Ende der Woche. Also Freitag oder Samstag. Jody und Caroline mußten aber spätestens am Freitag wieder in London sein, schließlich heiratete sie am Dienstag. Am Dienstag heiratete sie Hugh, und vorher mußte sie zurück sein, denn am Montag war Generalprobe für die Hochzeit, und Diana war sicher schon nervös, und die ganzen Geschenke und überhaupt.

Ihre Gedanken schossen verzweifelt hierhin und dorthin wie ein ausgerissenes, verstörtes Pferd. Sie riß sich zusammen und befahl sich, ruhig zu bleiben, merkte aber, daß sie keinen klaren Gedanken fassen konnte. Es fiel ihr einfach nichts ein. *Ich bin mit meinem Latein am Ende*, dachte sie. So war das also, das meinten die Leute, wenn sie diesen Satz sagten.

Die Frau hinter der Theke wurde allmählich ungeduldig. «Müßten Sie Angus denn dringend sprechen?»

«Ja. Ich bin seine Schwester. Es ist ziemlich wichtig.»

«Von wo kommen sie denn gerade?»

«Von Cairney», rutschte es Caroline heraus.

«Aber das sind ja acht Meilen. Und die Straße ist doch gesperrt.»

«Ich bin ein Stück gelaufen, und dann hat mich der Schneepflug mitgenommen.»

Es blieb ihnen wohl nichts anderes übrig, als auf Angus zu

warten. Vielleicht konnten sie ja hier im Hotel übernachten. Wenn sie Jody bloß mitgebracht hätte!

«Hätten Sie denn zwei Zimmer für uns frei?»

«Für uns?»

«Ich habe noch einen Bruder. Der kommt nach.»

Die Frau sah sie zweifelnd an, sagte aber: «Moment bitte», und ging ins Büro zurück, um in ihrem Buch nachzusehen. Caroline lehnte sich an die Theke und nahm sich vor, nicht durchzudrehen, denn das führte zu nichts, außer dazu, daß man sich elend fühlte. Hundeelend.

Und dann spürte sie, daß es wieder da war, dieses entsetzliche Stechen, dieser messerscharfe Schmerz im Bauch. Er hatte sie ohne Vorwarnung überwältigt, wie ein Ungeheuer, das in seinem Versteck lauert und plötzlich zuschlägt. Sie versuchte, ihn zu ignorieren, aber das ging nicht. Er wurde immer stärker, wuchs wie ein riesiger Ballon, der mit Luft vollgepumpt wird. Er nahm so viel Platz ein, daß er alles andere aus ihrem Bewußtsein verdrängte, sie bestand nur noch aus diesem Schmerz, er füllte alles aus. Sie schloß die Augen, und dann war ihr, als schrillte irgendwo in der Ferne eine Alarmglocke.

Als sie schon dachte, sie könne es nicht mehr ertragen, wurde der Schmerz langsam schwächer, glitt von ihr ab wie ein zu großer Umhang. Nach einer Weile schlug sie die Augen auf und sah direkt in das entsetzte Gesicht der Empfangsdame. Wie lange hatte sie wohl schon zugesehen?

«Ist Ihnen nicht gut?»

«Doch, doch.» Sie rang sich ein Lächeln ab. Ihr Gesicht war schweißnaß. «Es ist wohl eine Magenverstimmung, die habe ich manchmal. Und dann der lange Spaziergang…»

«Ich hole Ihnen ein Glas Wasser. Setzen Sie sich mal lieber hin.»

«Danke, es geht schon.»

Aber irgend etwas mit dem Gesicht der Frau stimmte nicht; es glitt verschwommen vor und zurück. Sie sagte etwas, Caroline sah genau, wie ihr Mund auf und zu ging, aber kein Laut kam heraus. Caroline streckte die Hand aus, um sich an der Theke festzuhalten, und dann sah sie nur noch, wie der buntgemusterte Teppich auf sie zugerast kam und ihr mit einem dumpfen Knall an die Schläfe schlug.

5

Es war bereits halb fünf, als Oliver in die Auffahrt von Cairney einbog. Duncan Fraser hatte ihn nicht nur zu einem schweren Mittagessen eingeladen, sondern zudem darauf bestanden, die Übergabe von Cairney bis in sämtliche juristischen und finanziellen Einzelheiten zu besprechen. Nicht das Geringste war ausgelassen worden, und Oliver schwirrte der Kopf vor lauter Daten und Fakten. Anbauflächen, Erträge, Viehbestände, der Wert von Cottages und der Zustand von Heuschobern und Scheunen. Das alles war natürlich notwendig und auch richtig, aber es hatte ihn doch ziemlich mitgenommen. Während der Fahrt durch die Dämmerung des Spätnachmittags versuchte er sich mit den Tatsachen abzufinden. Wenn er Cairney weggab – selbst wenn es an Duncan ging –, gab er damit unweigerlich auch ein Stück von sich selbst auf, zerschnitt die letzten Bande, die ihn noch an seine Jugend knüpften.

Der innere Konflikt hatte ihn erschöpft. Er war müde, hatte Kopfweh und dachte nur noch an zu Hause, an seinen gemütlichen Lehnstuhl, den Kamin und womöglich eine wohltuende Tasse Tee.

Noch nie hatte das Haus so anheimelnd ausgesehen, so einladend. Er fuhr den Landrover in die Garage und ging durch den Kücheneingang ins Haus. Mrs. Cooper stand am Bügelbrett, hatte den Blick aber auf die Tür geheftet. Als er hereinkam, stellte sie mit einem Seufzer der Erleichterung das Bügeleisen ab.

«Ach, Oliver, gut, daß Sie da sind. Ich hab ja schon gehofft, daß Sie's sind, als ich das Auto gehört habe.»

Ihre Miene verkündete nichts Gutes. «Was ist denn los?» fragte er.

«Na, die Schwester von dem Kleinen ist spazierengegangen und noch nicht wieder da, und es ist doch schon fast dunkel. Du lieber Gott, wer weiß, was da passiert ist!»

Oliver sah sie erschrocken an. «Wann ist sie fort?»

«Gleich nach dem Mittagessen. Nicht, daß sie was gegessen hätte. Bißchen rumgestochert hat sie, davon wär keine Fliege satt geworden, geschweige denn ein Spatz.»

«Aber jetzt ist es doch ... nach halb fünf.»

«Ja, eben.»

«Und wo ist Jody?»

«Oben im Kinderzimmer. Der ist quietschvergnügt, er macht sich auch gar keine Sorgen. Ich habe ihm grade seinen Tee gebracht, dem Engelchen.»

Oliver runzelte die Stirn. «Wo wollte sie denn hin?»

«Sie wollte bloß mal kurz an die frische Luft.» Mrs. Cooper rang die Hände. «Es wird ihr doch nichts passiert sein?»

«Wundern würde es mich nicht», sagte Oliver bitter. «Das Mädchen ist imstande und ertrinkt in einer Pfütze.»

«Ach, das arme kleine Ding ...»

«Von wegen armes kleines Ding, eine Nervensäge ist sie», entgegnete Oliver grob.

Er war schon auf dem Weg zur hinteren Treppe, um Jody auszuhorchen, als das Telefon klingelte. Olivers erster Gedanke war, daß nun zumindest die Leitungen wieder funktionierten, doch Mrs. Cooper griff sich ans Herz. «Vielleicht ist das schon die Polizei.»

«Ach was», sagte Oliver, machte sich aber doch schneller als gewohnt auf den Weg in die Bibliothek, um abzunehmen.

«Cairney», bellte er.

«Mr. Cairney», sagte eine ungemein vornehme weibliche Stimme, «hier ist Mrs. Henderson vom Hotel Strathcorrie.»

Oliver machte sich auf alles gefaßt. «Ja, bitte?»

«Ich habe eine junge Dame hier, die ihren Bruder sprechen wollte, der früher einmal bei uns gearbeitet hat…»

Früher? «Ja, bitte?»

«Sie sagte, sie käme von Cairney.»

«Das stimmt.»

«Nun, es wäre vielleicht ganz gut, wenn Sie sie abholen würden, Mr. Cairney. Sie scheint nicht ganz auf dem Damm zu sein, sie fiel in Ohnmacht und dann mußte sie… sich übergeben.» Sie brachte den Ausdruck nur zögernd über die Lippen, als ob er unanständig wäre.

«Wie ist sie denn nach Strathcorrie gekommen?»

«Zunächst ist sie gelaufen, und dann hat sie der Schneepflug mitgenommen.»

Das hieß, daß zumindest die Straße frei war. «Und wo ist sie jetzt?»

«Ich habe veranlaßt, daß sie sich hinlegt… es schien ihr so schlecht zu gehen.»

«Weiß sie, daß Sie mich verständigt haben?»

«Nein. Ich hielt es für klüger, ihr das nicht zu sagen.»

«Da hatten Sie recht. Sagen Sie nichts, aber lassen Sie sie nicht fort, bis ich komme.»

«Gern, Mr. Cairney. Und ich bedaure sehr, Ihnen solche Umstände zu machen.»

«Aber ich bitte Sie. Vielen Dank, daß Sie angerufen haben. Wir hatten uns schon Sorgen gemacht. Ich komme, so schnell ich kann.»

Caroline schlief, als er kam. Eigentlich schlief sie nicht richtig, sondern befand sich in diesem herrlichen Zustand zwischen Schlafen und Wachen: warm, wohlig unter der Decke eingekuschelt und gut aufgehoben. Bis seine tiefe Stimme in ihren Dämmerzustand einbrach und sie mit einem Schlag hellwach wurde. Sofort fiel ihr ein, daß sie erzählt hatte, woher sie kam, und sie verwünschte ihre lose Zunge. Doch die Schmerzen hatten nachgelassen, und sie fühlte sich ausgeruht, deshalb war sie einigermaßen gewappnet, als Oliver Cairney ins Zimmer stürmte, ohne zu klopfen.

«Ach», sagte sie, «jetzt sind Sie den ganzen weiten Weg hergekommen, dabei ist eigentlich gar nichts los. Sehen Sie», sie setzte sich auf, «mir geht es prächtig.»

Er trug einen grauen Mantel und eine schwarze Krawatte, was sie wieder an seinen Bruder erinnerte. Hastig fuhr sie fort: «Es war eben doch sehr weit zu Fuß, das heißt, dann hat mich ja der Schneepflug mitgenommen.»

Er schlug die Tür zu, trat ans Bett und stützte sich auf das Messinggeländer am Fußende.

«Haben Sie Jody mitgebracht?» fragte sie munter. «Wir können uns nämlich hier einquartieren. Es sind Zimmer frei, und wir warten am besten hier, bis Angus wiederkommt. Er ist leider verreist, allerdings bloß für ein paar Tage, und zwar mit einer Amerikanerin…»

«Schluß jetzt», unterbrach Oliver sie rüde. «Seien Sie still.»

In einem solchen Ton hatte noch kein Mensch mit Caroline gesprochen. Sie verstummte augenblicklich. «Ich habe Ihnen doch gesagt, daß Sie in Cairney auf mich warten sollen.»

«Das konnte ich nicht.»

«Warum?»

«Weil Jody mir das mit Ihrem Bruder erzählt hat. Er wußte es von Mrs. Cooper. Und es ist so furchtbar, daß wir ausgerechnet in dieser Situation bei Ihnen aufgetaucht sind. Es tat mir so leid, ich wußte ja nicht…»

«Wie hätten Sie das auch wissen sollen?»

«…aber ausgerechnet zu so einer Zeit…»

«Der Zeitpunkt ist nicht das Schlimme daran», erklärte Oliver unverblümt. «Wie fühlen Sie sich denn inzwischen?»

117

«Mir geht es prächtig.»

«Sie sind ohnmächtig geworden.» Das klang wie ein Vorwurf.

«Wirklich albern, das passiert mir sonst nie.»

«Das kommt nur davon, daß Sie nichts essen. Wenn Sie sich unbedingt so verrückt aufführen müssen, geschieht es Ihnen recht, wenn Sie in Ohnmacht fallen. Jetzt ziehen Sie ihre Regenjacke an, dann bringe ich Sie nach Hause.»

«Aber ich habe Ihnen doch schon gesagt, daß wir hierbleiben können. Wir warten hier auf Angus.»

«Sie können in Cairney auf Angus warten.» Er nahm die schwarze Öljacke, die über dem Stuhl hing.

Caroline runzelte die Stirn. «Wenn ich aber nicht will? Sie können mich schließlich nicht zwingen.»

«Und wenn Sie ausnahmsweise mal tun, was man Ihnen sagt? Vielleicht denken Sie zur Abwechslung auch einmal an andere Leute. Mrs. Cooper war ganz grau im Gesicht, als ich nach Hause kam, sie hat sich die schlimmsten Katastrophen ausgemalt, die Ihnen zugestoßen sein könnten.»

Sie bekam leichte Gewissensbisse. «Und Jody?»

«Dem geht's gut. Als ich losfuhr, saß er vor dem Fernseher. So, kommen Sie jetzt?»

Ihr blieb nichts anderes übrig. Caroline stand auf, ließ sich in die Öljacke helfen, stieg in die Gummistiefel und trottete lammfromm hinter ihm die Treppe hinunter.

«Mrs. Henderson!»

Sie tauchte aus ihrem Büro auf und stellte sich wie eine beflissene Verkäuferin hinter die Empfangstheke. «Ah, Sie haben sie gefunden, Mr. Cairney, schön.» Sie trat zu ihnen auf den Gang. «Wie geht es Ihnen denn?» fragte sie Caroline.

«Wieder gut.» Dann rang sie sich noch ein «Danke» ab, obwohl sie Mrs. Henderson nur sehr schwer verzeihen konnte, daß sie Oliver angerufen hatte.

«Keine Ursache. Und wenn Angus wiederkommt...»

«Sagen Sie ihm bitte, daß seine Schwester auf Cairney ist.»

«Selbstverständlich. Und ich bin froh, daß es Ihnen wieder bessergeht.»

Caroline nahm Kurs auf die Tür. Oliver bedankte sich noch einmal bei Mrs. Henderson, dann standen sie beide in der kalten, windigen Abenddämmerung, und Caroline kletterte ergeben wieder in den Landrover.

Sie fuhren schweigend los. Das versprochene Tauwetter hatte den Schnee in Matsch verwandelt, und die Straße über den Hügel war einigermaßen frei. Über ihnen trieb der Westwind die grauen Wolkenfetzen weg, so daß dazwischen immer wieder ein blaues Stück Himmel aufblitzte. Durch die offenen Fenster roch es nach Erde und feuchtem Torf. Aus dem Schilf am Ufer eines kleinen Sees flogen Brachvögel auf, und plötzlich schien es durchaus möglich, daß die kahlen Bäume bald Knospen bekommen und der langersehnte Frühling endlich beginnen würde.

Caroline fiel der Abend in London wieder ein, als sie mit Hugh ins Arabella gefahren war. Sie mußte daran denken, wie der Himmel über der Stadt orange geleuchtet hatte und wie sie das Fenster heruntergekurbelt und sich gewünscht hatte, auf dem Land zu sein. Das war zwar erst drei, vier Tage her, aber es kam ihr vor wie eine Ewigkeit. Als ob es irgendeinem anderen Mädchen in einer ganz anderen Zeit passiert wäre.

Eine Illusion. Sie war Caroline Cliburn, und sie hatte tausend ungelöste Probleme auf dem Hals. Sie war Caroline Cliburn, und sie mußte rechtzeitig wieder in London sein, sonst war der Teufel los. Sie war Caroline Cliburn, und sie würde Hugh Rashley heiraten. Am Dienstag.

So sah die Realität aus. Um sie greifbarer zu machen, malte sie sich aus, wie das Haus in Milton Gardens vor Hochzeitsgeschenken überquoll. Sie dachte an das weiße Kleid in ihrem Schrank, an den Partyservice mit den mitgebrachten Tischen und den steifen, weißen Damastdecken, an übersprudelnde Sektgläser, Gardeniensträuße, knallende Korken und langweilige Reden; und an Hugh, den rücksichtsvollen, ordentlichen Hugh, der Caroline gegenüber nie auch nur laut wurde, geschweige denn ihr mit einem «Schluß jetzt!» den Mund verboten hätte.

Das wurmte sie immer noch. Bei dem Gedanken daran kam ihr die Wut. Wut auf Angus, daß er sie im Stich ließ, wenn sie ihn wirklich brauchte, bloß um irgendeine amerikanische Witwe durch die Gegend zu kutschieren, ohne eine Adresse zu hinterlassen oder mitzuteilen, wann genau er wiederkäme; Wut auf Mrs. Henderson mit ihrer straßbesetzten Brille und ihrem Übereifer, die unbedingt Oliver Cairney verständigen mußte, damit er sich wieder einmischen und alles noch komplizierter machen konnte, und schließlich Wut auf Oliver selbst, diesen anmaßenden Menschen mit seinen übertriebenen Vorstellungen von Gastfreundschaft.

Der Landrover arbeitete sich über den Hügelkamm, dann schlängelte sich vor ihnen die Straße wieder hinab, Richtung Cairney. Oliver schaltete in einen niedrigeren Gang, und die Reifen fraßen sich in den matschigen Schnee. Die Luft zwischen ihnen wurde immer dicker; er machte aus seinem Ärger über ihr Verhalten keinen Hehl. Wenn er doch etwas sagen würde. Irgendwas. Ihr ganzer Zorn, ihre ganze Verzweiflung konzentrierten sich immer mehr auf ihn. Er war schuld, er ganz allein. Ihre Wut wuchs und wuchs, bis Caroline sich nicht mehr beherrschen konnte und schließlich eisig sagte: «Das ist doch einfach lächerlich.»

«Was ist lächerlich?» Er klang mindestens ebenso kühl.

«Die ganze Situation. Alles.»

«Leider Gottes weiß ich zuwenig über die Situation, um

dazu irgendeinen Kommentar abzugeben. Genaugenommen weiß ich überhaupt nichts, abgesehen davon, daß Sie mitten in einem Schneesturm auf Cairney aufgetaucht sind.»

«Alles andere geht Sie auch nichts an», sagte Caroline gröber als beabsichtigt.

«Doch, Ihr Bruder geht mich etwas an. Ich muß nämlich dafür sorgen, daß er nicht noch weiter unter Ihren Dummheiten zu leiden hat.»

«Wenn Angus in Strathcorrie gewesen wäre…»

Er ließ sie nicht ausreden. «Wenn, wenn… Er war nun mal nicht da. Und ich habe das unbestimmte Gefühl, daß Sie das auch nicht besonders überrascht hat. Was ist das überhaupt für ein Mensch, dieser Angus?»

Caroline schwieg weiterhin beharrlich und, wie sie hoffte, würdevoll.

«Aha», sagte Oliver süffisant.

«Nichts aha. Sie haben ja überhaupt keine Ahnung von ihm. Sie verstehen gar nichts.»

«Ach, seien Sie still», sagte Oliver zum zweitenmal, und das war einfach unverzeihlich. Caroline wandte sich abrupt ab und starrte aus dem Fenster, damit er weder sehen noch ahnen konnte, daß ihr plötzlich die Tränen in die Augen schossen.

Das Haus ragte quadratisch aus dem Dunkel; hinter den Vorhängen drang diffus gelbes Licht hervor. Oliver hielt vor der Tür und stieg aus. Caroline folgte ihm zögernd die Stufen hinauf, ließ sich die Tür aufhalten und ging an ihm vorbei ins Haus. Sie kam sich vor wie ein Kind, das bei einer Missetat erwischt worden war. Eine Sekunde später kam Jody aus der Küche gerannt, als hätte er auf das Kommando gewartet. Als er sie sah, blieb er wie angewurzelt stehen. Sein Blick wanderte zur Tür hinter Caroline und dann wieder zu ihren Augen.

«Und Angus?» fragte er.

Er hatte erwartet, daß sie Angus mitbringen würde. Sie mußte wohl oder übel sagen: «Angus war nicht da.»

Stille. Dann sagte Jody leichthin: «Du hast ihn nicht erwischt.»

«Er arbeitet schon in dem Hotel, ist aber gerade ein paar Tage verreist.» Sie bemühte sich um einen zuversichtlichen Ton. «Morgen oder übermorgen kommt er wieder, keine Sorge.»

«Mrs. Cooper hat gesagt, daß du krank bist.»

«Bin ich aber nicht», sagte Caroline schnell.

«Aber sie hat gesagt…»

Oliver unterbrach ihn. «Deiner Schwester fehlt überhaupt nichts, außer, daß sie nie auf das hört, was man ihr sagt, und daß sie nichts ißt.» Er klang sehr verärgert. «Wo ist Mrs. Cooper?»

«In der Küche.»

«Sag ihr Bescheid, daß alles in Ordnung ist. Caroline geht jetzt ins Bett, ißt zu Abend, und morgen ist sie wieder putzmunter.» Als Jody immer noch zögerte, drehte Oliver ihn um und gab ihm einen sanften Schubs in die Richtung, aus der er gekommen war. «Geh schon. Du brauchst dir wirklich keine Sorgen zu machen, Ehrenwort.»

Jody ging. Die Küchentür fiel zu und man hörte, wie er ausrichtete, was ihm aufgetragen worden war. Oliver wandte sich Caroline zu.

«Und Sie», sagte er mit trügerischer Freundlichkeit, «gehen jetzt ins Bett, und dann bringt Ihnen Mrs. Cooper Ihr Abendessen aufs Zimmer. So einfach ist das.»

Sein Tonfall weckte ihren alten Eigensinn. Den Eigensinn, der ihr als Kind bisweilen geholfen hatte, ihren Kopf durchzusetzen, und der schließlich über die Vorbehalte ihrer Stiefmutter gegen die Schauspielschule gesiegt hatte. Hugh hatte diesen Charakterzug an ihr wahrscheinlich schon früh erkannt, denn er behandelte sie immer diplomatisch, machte Vorschläge und nutzte Überredungskünste, wo sie sich unter Druck nur geweigert hätte.

Nun spielte sie mit dem Gedanken, eine fürchterliche Szene zu machen, doch als Oliver Cairney einfach vor ihr stehenblieb, höflich und unerbittlich, löste sich ihr Widerstand in nichts auf. Als Ausrede vor sich selbst sagte sie sich, sie sei zu müde für weitere Diskussionen. Und plötzlich erschien ihr der Gedanke an ein warmes Bett in einem eigenen Zimmer sehr verlockend. Wortlos drehte sie sich um und ging die Treppe hinauf.

Oliver ging wieder in die Küche, wo Mrs. Cooper das Abendessen zubereitete und Jody am Tisch saß und sich mit einem alten Puzzle abmühte, das bei erfolgreicher Vollendung eine altmodische Dampflok darstellte. Oliver erkannte das Puzzle wieder, er konnte sich noch daran erinnern, wie er es mit seiner Mutter und mit Charles gelegt hatte, um sich an langen Regennachmittagen die Zeit zu vertreiben.

Er sah Jody über die Schulter. «Gar nicht schlecht.»

«Ich finde das eine Teil nicht, das mit dem Himmel und dem Stück von dem einen Ast. Mit dem könnte ich nämlich dann dieses ganze Stück dranmachen.»

Oliver machte sich auf die Suche nach dem vermißten Puzzleteil. «Geht es der jungen Dame wieder gut?» erkundigte Mrs. Cooper sich vom Herd aus.

Oliver blickte nicht auf. «Jawohl. Sie ist ins Bett gegangen.»

«Was war denn mit ihr?»

«Sie ist ohnmächtig geworden, und dann hat sie sich übergeben.»

Jody verzog das Gesicht. «Ich hasse es, wenn ich mich übergeben muß.»

Oliver grinste. «Ich auch.»

«Ich seihe gerade ein bißchen Brühe ab», sagte Mrs. Cooper. «Wenn einem nicht gut ist, dann mag man nichts Schweres zum Abendessen.»

Oliver stimmte ihr vollkommen zu. Er erspähte das verschollene Teil und gab es Jody in die Hand.

«Wie wär's mit dem?»

«Das paßt.» Jody war begeistert. «Mensch, danke, ich hab die ganze Zeit draufgeschaut und nicht kapiert, daß es das richtige ist.» Er strahlte. «Zu zweit geht es eben besser. Helfen Sie mir noch ein bißchen?»

«Also, erst mal geh ich in die Badewanne, und dann genehmige ich mir einen Whisky, und dann essen wir beide zusammen Abendbrot. Aber danach können wir das Puzzle fertigmachen.»

«War das Ihres?»

«Meines oder das von Charles, das weiß ich nicht mehr.»

«Es ist ein ziemlich komischer Zug.»

«Dampfloks waren phantastisch. Sie haben einen Heidenlärm gemacht.»

«Weiß ich. Im Kino hab ich schon mal welche gesehen.»

Oliver nahm ein Bad, zog sich um und war eben auf dem Weg in die Bibliothek, um sich wie angekündigt seinen Whisky zu genehmigen, als ihm aus heiterem Himmel einfiel, daß er ja am Abend zum Dinner auf Rossie Hill eingeladen war. Der Schreck war weniger groß als die Überraschung darüber, daß er das überhaupt vergessen konnte. Doch trotz des gemeinsamen Lunchs mit Duncan Fraser, bei dem sogar noch von dem Dinner die Rede gewesen war, hatten die aufregenden Ereignisse am Nachmittag und Abend die Einladung aus seinem Gedächtnis gelöscht.

Und nun war es halb acht, und er trug keineswegs Abendgarderobe, sondern einen Rollkragenpulli und ausgewaschene Cordhosen. Einen Augenblick zögerte er, biß sich auf die Unterlippe und schwankte, was er tun sollte, doch dann sah er Jody vor sich, der einen langen, einsamen Nachmittag verbracht hatte und dem er für den Abend Gesellschaft und Beistand beim Puzzle versprochen hatte. Damit war die Sache entschieden. Er ging in die Bibliothek, nahm den Hörer ab und wählte die Nummer von Rossie Hill. Nach zweimaligem Klingeln meldete sich Liz.

«Hallo?»

«Hallo, Liz.»

«Ach, Oliver, rufst du an, weil du etwas später kommst? Das macht nämlich nichts, ich habe sowieso vergessen, den Fasan rechtzeitig ins Rohr zu stellen, und außerdem...»

Er fiel ihr ins Wort. «Nein, nicht deshalb. Ich muß absagen. ich schaffe es nicht.»

«Aber... ich... mein Vater hat doch gesagt...» Und dann mit ganz anderer Stimme: «Ist denn alles in Ordnung mit dir?» Sie klang, als habe sie den Verdacht, er sei plötzlich verrückt geworden. «Du bist doch nicht krank, oder?»

«Nein. Ich kann bloß einfach nicht kommen. Ich erklär dir alles später.»

«Es hat doch wohl nichts mit dem Mädchen und dem kleinen Jungen zu tun, die du bei dir aufgenommen hast?» fragte sie kühl.

Oliver war verblüfft. Er hatte Duncan nichts von den Cliburns erzählt, nicht etwa, weil er irgend etwas verheimlichen wollte, sondern weil sie einfach Wichtigeres zu besprechen hatten. «Woher weißt du das?»

«Ach, der gute alte Dorfklatsch. Unsere Mrs. Douglas ist schließlich Coopers Schwägerin. Hier kann man nichts geheimhalten, das müßtest du inzwischen eigentlich wissen, Oliver.»

Er fühlte sich irgendwie angegriffen, als ob sie ihm ein Täuschungsmanöver unterstellen wollte.

«Es ist auch kein Geheimnis.»

«Sind die beiden noch da?»

«Ja.»

«Da muß ich doch mal kommen und mir das Ganze ansehen. Es klingt sehr spannend.»

Er ignorierte ihren Unterton und lenkte ab. «Verzeihst du mir, daß ich ungezogenerweise heute abend so kurzfristig absage?»

«Macht gar nichts. Ab und zu kommt einem eben was Lästiges dazwischen. Dann kriegen mein Vater und ich um so mehr vom Fasan ab. Aber komm doch ein andermal.»

«Wenn du mich einlädst.»

«Das tue ich hiermit.» Ihre Stimme klang aber noch frostig. «Du brauchst mich nur anzurufen, sobald dein Privatleben sich wieder geordnet hat.»

«Das mache ich», sagte Oliver.

«Also dann, bis bald.»

«Bis bald.»

Doch noch bevor das Wort ganz ausgesprochen war, hatte sie schon aufgelegt.

Sie war ihm böse, und eigentlich mit gutem Grund. Schuldbewußt dachte er an die sorgfältig gedeckte Tafel, die Kerzen, den Fasan und den Wein. Dinner auf Rossie Hill war unter keinen Umständen zu verachten. Er fluchte leise vor sich hin, verwünschte den ganzen Tag und hoffte inständig, daß er bald vorüber wäre. Seufzend schenkte er sich mehr Whisky ein als sonst, fügte einen Schuß Soda hinzu, nahm gedankenlos einen großen Schluck und machte sich dann, ein wenig getröstet, auf den Weg zu Jody.

Aber so weit kam er nicht. Auf dem Gang begegnete ihm Mrs. Cooper mit einem Tablett in der Hand. Sie hatte einen komischen, fast verstohlenen Blick und versuchte, schnell in die Küche zu huschen, bevor er sie erreicht hatte.

«Was ist denn los, Mrs. Cooper?»

Mit dem Rücken zur Schwingtür blieb sie stehen und sah ihn ängstlich an.

«Sie hat die Suppe nicht angerührt.» Er nahm den Deckel von der Suppentasse. Duftender Dampf stieg auf. «Ich hab mich wirklich bemüht, aber sie rührt die Suppe nicht an. Sie hat Angst, daß ihr wieder schlecht wird, sagt sie.»

Oliver deckte die Tasse wieder zu, stellte sein Glas daneben und nahm Mrs. Cooper das Tablett ab.

«Das wollen wir doch mal sehen.»

Niedergeschlagenheit und Müdigkeit waren verflogen, er verspürte nur noch eine maßlose Wut. Zwei Stufen auf einmal nehmend, stürmte er die Treppe hinauf und marschierte ohne anzuklopfen ins Cairneysche Gästezimmer. Sie lag in dem großen Doppelbett unter der rosa Steppdecke, Kissen waren auf dem Boden verstreut, und der Schein einer rosa Nachttischlampe umrahmte ihren Kopf.

Der Anblick schürte seinen Ärger nur noch mehr. Dieses verdammte Gör kam in sein Haus, richtete ein heilloses Durcheinander an, verpatzte ihm den Abend und legte sich schließlich in sein Gästebett, um mit ihrer Weigerung zu essen alle zur Verzweiflung zu bringen. Er stellte das Tablett mit einiger Wucht auf dem Nachttisch ab. Die Lampe wakkelte leicht, der Whisky im Glas tanzte und spritzte.

Sie beobachtete ihn matt, mit großen Augen, die Haare in blassen, seidigen Strähnen auf dem Kopfkissen ausgebreitet. Wortlos hob er die Kissen auf, zog sie hoch und stopfte sie ihr in den Rücken, als wäre sie eine Stoffpuppe, die nicht allein sitzen kann.

Sie schob trotzig die Unterlippe vor wie ein verwöhntes Kind. Er nahm die Serviette vom Tablett und knotete sie ihr um den Hals, als würde er sie am liebsten erwürgen. Dann nahm er den Deckel von der Suppentasse ab.

Sie sagte laut und deutlich: «Wenn Sie mich zwingen, das zu essen, wird mir schlecht.»

Oliver griff nach dem Löffel. «Und wenn Ihnen schlecht wird, lege ich Sie übers Knie.»

Ihre Unterlippe fing ob dieser unverschämten Drohung an zu zittern. «Jetzt sofort, oder wenn es mir wieder bessergeht?» erkundigte sie sich bitter.

«Sowohl als auch», sagte Oliver kurz. «Und nun machen Sie den Mund auf.»

Sie gehorchte mehr aus Verblüffung als aus Furcht, und er flößte ihr den ersten Löffel ein. Als sie beim Schlucken ein bißchen würgen mußte, warf sie ihm einen vorwurfsvollen Blick zu, worauf er lediglich warnend eine Augenbraue hochzog. Der zweite Löffel wurde geschluckt. Und der dritte. Und der vierte. Inzwischen hatte sie angefangen zu weinen. Stumm waren ihr die Tränen in die Augen getreten und liefen ihr die Wangen hinunter. Oliver fütterte sie ungerührt weiter mit der Suppe. Als sie fertiggegessen hatte, war sie in Tränen aufgelöst. Er stellte die leere Tasse auf das Tablett zurück und sagte: «Sehen Sie, Ihnen ist nicht schlecht geworden.»

Caroline schluchzte laut auf, ohne daß sie zu irgendeiner Entgegnung fähig gewesen wäre. Mit einemmal schmolz seine Wut dahin und machte einer fast zärtlichen Belustigung Platz; er hätte am liebsten gelächelt. Sein Zornesausbruch hatte reinigend gewirkt wie ein Gewitter, plötzlich war er ganz ruhig und entspannt, und die Sorgen und Enttäuschungen des Tages waren in den Hintergrund getreten. Was blieb, war dieser friedliche, hübsche Raum, der Schein der rosa Lampe, der restliche Whisky in seinem Glas und Caroline Cliburn, zu guter Letzt gefüttert und gebändigt.

Behutsam band er ihr die Serviette ab und reichte sie ihr. «Vielleicht möchten Sie die als Taschentuch benutzen.»

Sie warf ihm einen dankbaren Blick zu, wischte sich Wangen und Augen ab und putzte sich schließlich herzhaft die Nase. Eine nasse Haarsträhne klebte quer über der Wange, und er strich sie ihr sanft mit dem Finger hinters Ohr.

Es war eine spontane tröstende Geste, doch die unerwartete Berührung löste eine Kettenreaktion aus. Erstaunen huschte über Carolines Gesicht, gefolgt von unendlicher Erleichterung. Als wäre es das Natürlichste von der Welt, beugte sie sich vor und drückte die Stirn in die rauhe Wolle seines Pullovers, und er legte ihr einfach die Arme um die Schultern und zog sie an sich, so daß ihr Kopf mit dem seidigen Haar direkt unter seinem Kinn lag. Er spürte, wie zerbrechlich sie war, spürte ihre Knochen, ihren Herzschlag. Nach einer Weile sagte er: «Jetzt müssen Sie mir aber mal erzählen, was eigentlich los ist, ja?»

Caroline nickte, so daß ihm ihr Kopf an die Brust schlug. «Mach ich», kam ihre Stimme gedämpft. «Ist wahrscheinlich das beste.»

Sie begann, wo alles angefangen hatte, auf Aphros. «Da sind wir hingezogen, als meine Mutter gestorben ist. Jody war noch ganz klein, er sprach schon Griechisch, bevor er Englisch gelernt hat. Mein Vater war Architekt, er wollte dort Häuser entwerfen, aber dann haben die Engländer Aphros langsam für sich entdeckt und wollten dort wohnen, und da hat er eben als eine Art Makler gearbeitet, hat Häuser gekauft und ihren Umbau beaufsichtigt und so. Wenn Angus in England aufgewachsen wäre, hätte er sich vielleicht anders entwickelt. Ich weiß es nicht. Wir sind dort auf eine ganz normale griechische Schule gegangen, weil mein Vater es sich nicht leisten konnte, uns nach Hause zu schicken.»

Sie unterbrach sich und versuchte, das mit Angus näher zu

erklären. «Er hat eben immer so ein freies Leben gehabt. Mein Vater hat sich nie groß drum gekümmert, wo wir waren. Er wußte ja, daß wir gut aufgehoben sind. Angus war meistens bei den Fischern, und als er mit der Schule fertig war, blieb er einfach auf Aphros, und kein Mensch dachte daran, daß er irgendeine Ausbildung machen könnte. Bis dann Diana kam.»

«Ihre Stiefmutter.»

«Genau. Sie wollte eigentlich auf der Insel ein Haus kaufen, und sie wollte meinen Vater als Makler. Aber dann hat sie gar kein Haus gekauft, weil sie nämlich meinen Vater geheiratet hat und bei uns eingezogen ist.»

«War das eine große Umstellung?»

«Für Jody schon. Und für mich auch. Aber für Angus nicht. Der hat sich überhaupt nicht drum gekümmert.»

«Fanden Sie sie nett?»

«Ja.» Caroline machte lauter kleine Falten in den Bettuchzipfel, sorgfältig und exakt, als ob Diana ihr das als knifflige Aufgabe gestellt hätte, die nach ihren eigenen perfekten Maßstäben ausgeführt werden müsse. «Ich mag sie gern, Jody auch. Aber Angus war schon zu alt, als daß sie ihn noch hätte beeinflussen können… und sie war zu klug, um es auch nur zu versuchen. Doch dann ist mein Vater gestorben, und sie hat gesagt, wir müssen alle mit ihr nach London zurück, aber Angus wollte nicht. Er hat sich einen gebrauchten Jeep gekauft und ist damit nach Indien gefahren, durch die Türkei und Syrien, und wir haben eine Zeitlang immer Postkarten von den unmöglichsten Orten gekriegt, aber sonst nicht viel.»

«Aber Sie sind mit nach London gegangen.»

«Ja. Diana hatte ein Haus in Milton Gardens, da wohnen wir jetzt auch noch.»

«Und Angus?»

«Der hat uns mal besucht, aber das ging ziemlich schief. Er

hatte einen fürchterlichen Streit mit Diana, weil er sich nicht anpassen wollte, sich nicht die Haare schneiden oder den Bart abrasieren wollte oder Schuhe anziehen und all so was. Außerdem hatte Diana inzwischen noch mal geheiratet, einen alten Jugendfreund, Shaun Carpenter. So daß sie jetzt Mrs. Carpenter ist.»

«Und Mr. Carpenter?»

«Der ist sehr nett, aber nicht stark genug für Diana. Sie setzt dauernd ihren Kopf durch und manipuliert uns eigentlich alle. Aber ganz unmerklich. Das kann man schwer beschreiben.»

«Und was haben Sie die ganze Zeit über gemacht?»

«Ich habe die Schule fertiggemacht, und dann bin ich auf die Schauspielschule gegangen.» Sie warf Oliver einen verschmitzten Blick zu. «Diana war dagegen. Sie hatte Angst, daß ich da zu einem Hippie werde oder mit Drogen anfange oder so werde wie Angus.»

Oliver grinste. «Und, kam es so?»

«Nein. Aber sie hat außerdem vorausgesagt, daß ich nicht durchhalten werde, und damit hatte sie recht. Ich meine, die Schule habe ich schon abgeschlossen, und ich habe sogar ein Engagement an einem Theater gekriegt, aber dann...» Sie brach ab. Olivers Gesichtsausdruck war seltsam milde, sein Blick verständnisvoll. Man konnte eigentlich gut mit ihm reden. Bislang war ihr gar nicht aufgefallen, wie gut man mit ihm reden konnte. Den ganzen Tag hatte er ihr möglichst deutlich zu verstehen gegeben, für wie dumm er sie hielt, aber jetzt merkte sie instinktiv, daß er sie nicht für dumm halten würde, nur weil sie sich in den falschen Mann verliebt hatte.

«Na ja, dann habe ich eine Beziehung mit diesem Mann angefangen. Und wahrscheinlich war ich ziemlich blöd und naiv, weil ich dachte, er meint es ernst. Aber Schauspieler sind zielstrebige Menschen, er hatte eben seine Karriere im Kopf, und da hat er mich abgeschrieben. Er heißt Drennan Cole-field. Inzwischen ist er ziemlich bekannt, vielleicht ist Ihnen sein Name schon einmal untergekommen.»

«Ist er.»

«Er hat eine französische Schauspielerin geheiratet. Sie leben jetzt in Hollywood, glaube ich, und er macht eine ganze Reihe von Filmen. Jedenfalls ging nach Drennan alles schief, und dann habe ich eine Lungenentzündung gekriegt und schließlich das Ganze einfach an den Nagel gehängt.»

Sie fältelte wieder an dem Bettuch herum. «Und Angus?» fragte Oliver sanft nach. «Wann hat es den nach Schottland verschlagen?»

«Jody hat vor ein oder zwei Wochen einen Brief von ihm gekriegt. Aber von dem hat er mir erst letzten Sonntag abend erzählt.»

«Und warum mußten Sie beide ihn unbedingt wiedersehen?»

«Weil Diana und Shaun nach Kanada gehen. Shaun hat eine Stelle in Kanada, und sie gehen hin, sobald die… sehr bald jedenfalls. Und Jody nehmen sie mit. Jody will aber nicht, bloß weiß das Diana nicht. Mir hat er es erzählt, und dann wollte er, daß ich mit ihm nach Schottland fahre und Angus suche. Er dachte, daß Angus vielleicht mit nach London kommt und Jody bei ihm wohnen kann, damit er nicht nach Kanada muß.»

«Ist das sehr wahrscheinlich?»

«Eigentlich nicht», antwortete Caroline wahrheitsgemäß. «Aber ich mußte es wenigstens versuchen. Jody zuliebe mußte ich es wenigstens versuchen.»

«Kann Jody nicht bei Ihnen wohnen?»

«Nein.»

«Warum denn nicht?»

Caroline zuckte die Achseln. «Das würde einfach nicht gehen. Außerdem würde Diana das nie erlauben. Bei Angus wäre es was anderes. Angus ist inzwischen fünfundzwanzig, und wenn Angus Jody aufnehmen würde, dann könnte Diana gar nichts dagegen sagen.»

«Aha.»

«Deshalb wollten wir eben zu ihm. Das Auto haben wir uns von Caleb Ash geliehen, das ist ein Freund von meinem Vater, der jetzt in London lebt, in einer kleinen Wohnung am Ende von Dianas Garten. Er schätzt Diana sehr, aber ich glaube, er findet es nicht so gut, wie sie immer bestimmt, was wir alle tun sollen. Deshalb hat er uns sein Auto geliehen, unter der Bedingung, daß wir ihm sagen, wo wir hinfahren.»

«Dann haben Sie es Diana nicht gesagt?»

«Sie weiß, daß wir in Schottland sind. Sonst nichts. Wir haben ihr einen Brief hinterlassen. Wenn wir ihr mehr gesagt hätten, wären wir hier nie angekommen, weil sie uns längst vorher abgefangen hätte.»

«Macht sie sich denn nicht schreckliche Sorgen um Sie?»

«Wahrscheinlich schon. Aber wir haben ja gesagt, daß wir bis Freitag wieder zurück sind…»

«Was aber nicht der Fall sein wird, wenn Angus nicht zufällig vorher zurückkommt.»

«Ich weiß.»

«Meinen Sie nicht, daß man Diana vielleicht anrufen sollte?»

«Nein. Noch nicht. Jody zuliebe.»

«Aber sie wird doch Verständnis haben.»

«Irgendwie schon, aber nicht so ganz. Wenn Angus ein anderer Mensch wäre…» Sie verstummte.

«Was machen wir also?» fragte Oliver.

Das «wir» entwaffnete sie. «Ich weiß es nicht», sagte sie, aber der verzweifelte Ausdruck war aus ihrem Gesicht gewichen. «Vielleicht abwarten?» fragte sie hoffnungsvoll.

«Wie lange?»

«Bis Freitag. Und dann rufen wir Diana an, das verspreche ich Ihnen, und fahren nach London zurück.»

Nach einiger Bedenkzeit willigte Oliver schließlich widerstrebend ein. «Nicht, daß ich davon begeistert wäre», setzte er hinzu.

Caroline lächelte. «Nachdem Sie sich ja ansonsten vor Begeisterung kaum zu lassen wußten, seit wir Ihnen ins Haus geschneit sind.»

«Na, viel Anlaß zur Begeisterung gab es nicht, das müssen Sie zugeben.»

«Ich bin heute nur deshalb nach Strathcorrie gelaufen, weil ich das mit Ihrem Bruder erfahren habe. Sonst hätte ich es wirklich nicht gemacht. Es war mir so schrecklich peinlich, daß wir ausgerechnet zu dem Zeitpunkt bei Ihnen aufgetaucht sind.»

«So schlimm war das nicht. Jetzt ist schon alles überstanden.»

«Was haben Sie denn nun vor?»

«Ich verkaufe Cairney und gehe nach London zurück.»

«Ist das nicht furchtbar traurig?»

«Schon, aber die Welt geht davon auch nicht unter. In meiner Erinnerung wird Cairney immer so sein, wie es für mich war. Es geht nicht so sehr um das Haus, sondern um alles, was darin passiert ist. Das waren die Grundlagen für ein sehr glückliches Leben. Und das wird mir bleiben, selbst wenn ich alt und grau und zahnlos werde.»

«So wie Aphros», sagte Caroline. «Aphros ist so was für Jody und mich. Wenn mir was Schönes begegnet, ist es schön, weil es mich an Aphros erinnert. Die Sonne, weiße Häuser, blauer Himmel, der Wind vom Meer, Pinienduft und Geranien in großen Töpfen. Wie war denn Ihr Bruder? So wie Sie?»

«Er war sehr nett, er war der netteste Mensch der Welt und ganz anders als ich.»

«Wie denn?»

«Rothaarig, zupackend und mit Leib und Seele in Cairney verwurzelt. Er war ein guter Farmer. Und ein guter Mensch.»

«Wenn Angus so wäre, dann wäre alles ganz anders gekommen.»

«Wenn Angus so wäre, wie mein Bruder Charles gewesen ist, hätten Sie nicht in Schottland nach ihm suchen müssen, wären nie in Cairney gelandet, und dann hätte ich euch beide nie kennengelernt.»

«Das ist ja auch eher ein zweifelhaftes Vergnügen.»

«Aber mit Sicherheit ein ‹Erlebnis›, wie Mrs. Cooper sagen würde.»

Sie mußten beide lachen. Mitten in ihr Gelächter hinein klopfte es, und auf Carolines ‹Herein› ging die Tür auf und Jody steckte den Kopf ins Zimmer.

«Jody!»

Er kam langsam herein. «Oliver, Mrs. Cooper läßt ausrichten, daß das Abendessen fertig ist.»

«Du meine Güte, ist es schon so spät?» Oliver sah auf die Uhr. «Gut. Ich bin schon unterwegs.»

Jody trat zu seiner Schwester ans Bett. «Geht's dir jetzt besser?»

«Viel besser.»

Oliver stand auf, nahm das leere Tablett und ging zur Tür. «Was macht das Puzzle?» fragte er.

«Ich hab noch ein bißchen was geschafft, aber nicht viel.»

«Wir bleiben notfalls die ganze Nacht auf, bis wir es fertighaben.» Er wandte sich zu Caroline um. «Und Sie schlafen jetzt. Wir sehen uns morgen wieder.»

«Gute Nacht», sagte Jody.

«Gute Nacht, Jody.»

Als die beiden draußen waren, machte sie die Nachttischlampe aus. Durch das offene Fenster und die halb zugezogenen Vorhänge schienen die Sterne herein. Ein Brachvogel rief, und eine leichte Brise rauschte in den hohen Kiefern. Caroline schloß die Augen und dachte über alles nach, was sie Oliver erzählt hatte.

Als erstes fiel ihr auf, daß nun, nach so langer Zeit, ihre Affäre mit Drennan Colefield wohl endlich ganz ausgestanden war. Sie hatte ihn beschrieben, hatte seinen Namen ausgesprochen, doch der Zauber war verflogen. Er gehörte zu ihrer Vergangenheit, und sie fühlte sich, als hätte man ihr ein großes Gewicht von den Schultern genommen. Sie war wieder frei.

Ein zweiter Gedanke verstörte sie noch mehr. Sie hatte Oliver zwar alles wahrheitsgetreu erzählt, aber irgendwie hatte sie es nicht geschafft, Hugh zu erwähnen. Sie wußte, daß das einen Grund haben mußte – alles hatte seinen Grund –, doch bevor sie sich näher damit beschäftigen konnte, war sie bereits eingeschlafen.

6

Am nächsten Morgen begann der April und mit ihm der Frühling. Der Wind legte sich, die Sonne ging an einem wolkenlosen Himmel auf, und das Barometer schnellte in die Höhe. Die Luft war lau und lind, und es roch nach frisch umgegrabener Erde. Der Schnee schmolz dahin, so daß Schneeglöckchen, ein paar vorwitzige Krokusse und unter den Buchen gelber Eisenhut zum Vorschein kamen. Die Vögel zwitscherten, die Türen standen offen, um die willkommene Wärme einzulassen, und an den Wäscheleinen bauschten sich Vorhänge, Decken und andere Wahrzeichen des großen Frühjahrsputzes.

Auf Rossie Hill klingelte gegen zehn Uhr das Telefon. Duncan Fraser war nicht da, aber Liz stand in der Blumenkammer und arrangierte eine Vase mit Weidenzweigen und langen Narzissen. Sie legte die Rosenschere weg, trocknete sich die Hände ab und ging an den Apparat.

«Hallo?»

«Elizabeth?»

Es war ihre Mutter aus London; sie klang gespannt, und Liz runzelte die Stirn. Olivers plötzliche Absage vom Vorabend nagte immer noch an ihr, folglich war sie nicht gerade bester Stimmung.

Doch das konnte Elaine Haldane schließlich nicht wissen. «Mein Schatz, es ist ja so ein Luxus, tagsüber anzurufen, aber ich konnte es einfach nicht erwarten. Wie ist der Abend gelaufen?»

Liz zog resigniert einen Sessel heran und ließ sich hineinfallen.

«Überhaupt nicht.»

«Was soll das heißen?»

«Oliver hat im letzten Moment abgesagt. Das Essen ist ausgefallen.»

«Ach, wie schade. Dabei war ich so gespannt auf deine Erzählungen. Du hattest dich doch so darauf gefreut.» Sie wartete ein bißchen, und als ihre Tochter keine weiteren Informationen herausrückte, fügte sie vorsichtig hinzu: «Ihr habt euch doch nicht gestritten?»

Liz lachte kurz auf. «Nein, natürlich nicht. Er hat es einfach nicht geschafft. Er ist wohl sehr beschäftigt. Dad hat ihn gestern zum Lunch eingeladen, und sie haben die ganze Zeit nur über Geschäftliches geredet. Dad wird übrigens Cairney kaufen.»

«Na, dann ist er ja auch beschäftigt», sagte Elaine giftig. «Ach, der arme Oliver, das sind ja Aussichten für ihn! Er macht zur Zeit wirklich was durch. Da mußt du sehr viel Geduld haben, mein Schatz, und sehr viel Verständnis.»

Liz wollte nicht weiter über Oliver sprechen. Um das Thema zu wechseln, fragte sie: «Was gibt's Neues in der Großstadt?»

«Alles mögliche. Wir fahren erst in ein oder zwei Wochen nach Paris zurück. Parker hat geschäftlich mit ein paar Leuten aus New York zu tun, die gerade hier sind, deshalb bleiben wir noch ein bißchen. Es macht Spaß, alle zu besuchen und überall die Neuigkeiten auszutauschen. Ach, genau, das muß ich dir unbedingt noch erzählen. Etwas ganz Unglaubliches ist passiert.»

Das klang nach einer ausführlichen Klatschgeschichte, das Gespräch würde also noch mindestens zehn Minuten dauern. Liz holte sich eine Zigarette und machte es sich gemütlich.

«Du kennst doch Diana Carpenter und Shaun? Stell dir vor, Dianas Stiefkinder sind verschwunden. Jawohl, buchstäblich verschwunden. Wie vom Erdboden verschluckt. Sie haben bloß einen Brief hinterlassen, daß sie nach Schottland gefahren sind – ausgerechnet nach Schottland! –, um ihren Bruder Angus zu suchen. Der ist nämlich einer von diesen gräßlichen Hippies; Diana hat seinetwegen schon einiges ausstehen müssen. Weißt du, einer von denen, die ständig nach der Wahrheit suchen – in Indien oder wo diese Typen sonst herumlaufen. Im handfesten Schottland hätte ich ihn am allerwenigsten vermutet, da gibt es doch nur Tweed und Schafe. Caroline fand ich ja schon immer ein bißchen seltsam. Sie hat sich mal als Schauspielerin versucht, und das ging völlig daneben, aber daß sie so was Absonderliches macht, wie einfach zu verschwinden, hätte ich ihr nun wirklich nicht zugetraut.»

«Was unternimmt Diana denn dagegen?»

«Tja, was kann sie schon tun? Die Polizei will sie auf keinen Fall einschalten. Der Junge ist zwar noch ein Kind, aber das Mädchen ist schließlich im Grunde erwachsen – man sollte meinen, sie kann auf ihn aufpassen. Diana hat schreckliche Angst, daß die Zeitungen Wind von der Sache kriegen und die Story in der Abendausgabe in den Schlagzeilen ausbreiten. Und zu allem Überfluß ist am Dienstag noch die Hochzeit, und Hugh hat schließlich einen gewissen Ruf zu verlieren.»

«Hochzeit?»

«Die von Caroline.» Elaine klang ungeduldig, als sei Liz schwer von Begriff. «Caroline heiratet Dianas Bruder, Hugh Rashley. Am Montag ist die Generalprobe für die Hochzeit, und kein Mensch weiß, wo die Braut steckt. Es ist wirklich eine Schande. Ich fand sie schon immer sehr eigenartig, du nicht?»

«Keine Ahnung. Ich hab sie nie kennengelernt.»

«Stimmt, das vergesse ich immer. Wie dumm von mir. Aber ich dachte eigentlich, sie hängt sehr an Diana; daß sie ihr das antut, hätte ich nie für möglich gehalten. Ach, mein

Schatz, du tust mir das nicht an, wenn du heiratest, nicht wahr? Hoffen wir, daß es bald soweit ist und daß es der Richtige wird. Wir wollen keine Namen nennen, du weißt schon, wen ich meine. Jetzt muß ich aber Schluß machen. Ich hab einen Termin beim Friseur und komme sowieso schon zu spät. Und mach dir keine Gedanken wegen Oliver, mein Schatz, besuch ihn einfach und sei lieb zu ihm und verständnisvoll. Bestimmt wird alles gutgehen. Du fehlst mir. Komm bald wieder.»

«Mach ich.»

«Auf Wiedersehen, mein Schatz.» Und dann, mit deutlich weniger Leidenschaft: «Grüß deinen Vater.»

Etwas später am selben Vormittag lag Caroline Cliburn auf dem Rücken in der Heide, ließ sich die Sonne auf den Pelz brennen und hielt sich den Arm gegen das gleißende Licht vor die Augen. Da sie nichts sah, waren ihre anderen Sinne um so schärfer. Sie hörte Brachvogelrufe, in der Ferne Krähengekrächz, Wassergeplätscher und ein sachtes Rauschen in den Bäumen, obwohl sich scheinbar kein Lüftchen regte. Sie roch die süße Reinheit von Schnee, Erde und klarem Wasser, moosig, feucht und schwer. Sie spürte die kalte Nase von Lisa, der alten Labradorhündin, die neben ihr lag und die Schnauze in ihrer Hand vergraben hatte.

Neben ihr saß Oliver Cairney, rauchte eine Zigarette, ließ die Hände zwischen den Knien baumeln und sah Jody zu, der sich auf dem Teich mit einem dickbauchigen Kahn und viel zu langen Rudern abmühte. Ab und zu platschte es gewaltig, so daß Caroline den Kopf hob. Wenn sie sah, daß er bloß einen Krebs gefangen hatte oder mit dem Ruderboot kleine Kreise zog, legte sie sich beruhigt wieder hin und beschirmte die Augen.

«Wenn ich ihm nicht die Schwimmweste angeschnallt

hätte, würden Sie die ganze Zeit am Ufer hin und her rennen wie ein aufgescheuchtes Huhn.»

«Nein, dann wär ich bei ihm da draußen auf dem Teich.»

«Und ihr wärt wahrscheinlich beide am Ertrinken.» Das Heidekraut stach durch ihre Bluse, und ein undefinierbarer Käfer krabbelte ihr über den Arm. Sie setzte sich auf, wischte den Käfer ab und streckte das Gesicht in die Sonne.

«Das ist doch wirklich nicht zu fassen. Vor zwei Tagen waren Jody und ich noch mitten in einem Schneesturm. Und jetzt das.» Die Oberfläche des kleinen Sees war spiegelglatt und klar und blau wie der Sommer. Hinter dem fernen, schilfbestandenen Ufer erstreckte sich das Moor in sanften Hügeln, mit Felsbrocken auf den Kuppen, von denen manche aussahen wie Vogelschnäbel. Ganz weit weg sah sie eine grasende Schafherde, durch den stillen Vormittag drang das klagende Geblök der Tiere herüber. Der Kahn, von seinem beherzten Rudersmann gesteuert, glitt schwerfällig knarzend über die Wasserfläche. Jodys Haare standen in alle Richtungen vom Kopf ab, und sein Gesicht färbte sich allmählich rosa.

«Es ist wirklich wunderschön hier», sagte sie. «Am Anfang ist mir das gar nicht so aufgefallen.»

«Um die Zeit ist es auch am schönsten. Ab jetzt und noch einen Monat lang, wenn die Buchenblätter aufgehen und die Narzissen herauskommen, und dann ist es auf einmal Sommer. Im Oktober ist es auch wieder schön, wenn die Bäume sich färben, der Himmel tiefblau wird und das Heidekraut dunkellila.»

«Werden Sie das nicht fürchterlich vermissen?»

«Doch. Aber da kann man nichts machen.»

«Sie verkaufen es also?»

«Jawohl.» Er warf den Zigarettenstummel weg und trat ihn mit dem Absatz aus.

«Haben Sie schon einen Käufer gefunden?»

«Ja. Duncan Fraser. Mein Nachbar. Er wohnt auf der anderen Seite vom Tal, Sie können sein Haus gerade nicht sehen, weil es von dem Kiefernwäldchen verdeckt wird, aber er will das Land an seines angliedern. Man braucht ja nur den Grenzzaun abzureißen.»

«Und Ihr Haus?»

«Das wird separat verkauft. Darüber muß ich noch mit den Anwälten sprechen. Heute nachmittag wollte ich zu den beiden nach Relkirk, mal sehen, ob wir da zu einer Lösung kommen.»

«Behalten Sie denn gar nichts von Cairney?»

«Sie können aber ganz schön auf einem Thema herumreiten.»

«Männer sind doch immer sentimental, wenn's um Land und Tradition geht.»

«Das bin ich vielleicht auch.»

«Aber es macht Ihnen nichts aus, in London zu leben?»

«Um Himmels willen, nein. Ich bin sogar ausgesprochen gern dort.»

«Was machen Sie denn beruflich?»

«Ich arbeite bei Bankfoot & Balcarries. Falls Sie mit dem Namen nichts anfangen können: das ist eine der größten Wirtschaftsberatungsfirmen in England, spezialisiert auf Maschinenbau.»

«Und wo wohnen Sie?»

«In einer Wohnung gleich bei der Fulham Road.»

«Nicht weit von uns.» Sie mußte lächeln. Da hatten sie so nahe beieinander gewohnt, ohne sich je getroffen zu haben. «Das ist doch komisch, was? London ist so riesig, aber man fährt nach Schottland und lernt prompt einen Nachbarn kennen. Ist die Wohnung schön?»

«Mir gefällt sie.»

Sie versuchte sich die Wohnung vorzustellen, scheiterte

aber kläglich, denn für sie gehörte Oliver einfach nach Cairney.

«Ist sie klein oder groß?»

«Ziemlich groß. Große Zimmer. Sie geht über das ganze Erdgeschoß in einem alten Haus.»

«Haben Sie einen Garten?»

«Ja. Den die Nachbarkatze mit Beschlag belegt. Außerdem habe ich ein großes Wohnzimmer und eine Küche, in der ich esse, und ein paar Zimmer und ein Bad. Mit sämtlichen Errungenschaften eines modernen Haushalts übrigens, außer daß mein Auto bei Wind und Wetter auf der Straße vor sich hingammeln muß. Was wollen Sie sonst noch wissen?»

«Nichts.»

«Die Vorhangfarben? Elfenbein, gedeckt.» Er legte die Hände an den Mund und brüllte über den See: «He, Jody!»

Jody sah sich um. Die Ruder standen aus dem Wasser und tropften. «Ich glaube, das reicht. Komm zurück.»

«Ist gut.»

«Genau, so. Jetzt mit dem linken Ruder. Nein, mit dem *linken*, du Dussel! Ja, so.» Er sprang auf, ging den Holzsteg hinunter und wartete, bis der Kahn langsam und mit viel Gespritze in Reichweite kam. Strahlend lud Jody die schweren Ruder aus. Oliver nahm sie in Empfang und band das Boot fest, während Jody herauskletterte. Mit durchweichten Turnschuhen, bis zu den Knien durchnäßter Hose und stolzgeschwellter Brust kam er auf seine Schwester zu.

«Das hast du fabelhaft gemacht», sagte Caroline.

«Mit kleineren Rudern wäre es noch viel besser gegangen.» Er kämpfte mit den Knoten an der Schwimmweste und zog sie sich über den Kopf. «Weißt du, was ich mir gedacht habe, Caroline? Es wäre toll, wenn wir einfach hierbleiben könnten. Hier gibt es doch alles, was man sich nur wünschen kann.»

Caroline war an dem Vormittag mehrmals derselbe Gedanke durch den Kopf geschossen, und jedesmal hatte sie sich gefragt, ob sie von allen guten Geistern verlassen sei. Genau das fragte sie jetzt Jody, der von ihrem ungeduldigen Tonfall überrascht war.

Oliver zurrte das Boot ganz fest, lud sich die Ruder auf die Schultern und trug sie in das alte Bootshaus. Jody brachte die Schwimmweste ebenfalls dorthin, während Caroline wartete. Dann schlossen sie die windschiefe Tür und kamen über das weiche Moos wieder auf Caroline zu, der große Mann und der sommersprossige Junge, mit der Sonne und dem funkelnden Wasser als Hintergrund.

«Aufgestanden», sagte Oliver, streckte ihr die Hand hin und zog sie hoch. Lisa erhob sich ebenfalls und wedelte mit dem Schwanz, als freue sie sich auf einen kleinen Spaziergang.

«Das sollte doch eine richtige Abenteuertour werden», sagte Oliver. «Bis jetzt haben wir allerdings bloß in der Sonne gesessen und Jody zugeschaut, der als einziger ein bißchen Sport getrieben hat.»

«Wo gehen wir denn jetzt hin?»

«Ich wollte euch was zeigen... es ist gleich um die Ecke.»

Sie folgten ihm im Gänsemarsch auf einem der schmalen Schafspfade um den See. Nach einer Weile kamen sie auf eine Anhöhe, wo der See eine scharfe Kurve machte, und dort am Ende stand ein kleines, verfallenes Häuschen.

«Ist es das, was Sie uns zeigen wollten?» fragte Jody.

«Genau.»

«Das ist ja kaputt.»

«Stimmt. Da wohnt schon seit Jahren niemand mehr drin. Charles und ich haben früher hier gespielt. Einmal durften wir sogar dort übernachten.»

«Wer hat denn da mal gewohnt?»

«Ich weiß es nicht. Ein Schäfer oder ein Kleinbauer. Der

Anbau ist ein Schafstall, und im Garten steht eine Eberesche. Früher hat man auf dem Land immer Ebereschen vor der Tür gepflanzt, weil die angeblich Glück bringen.»

«Ich weiß gar nicht, wie Ebereschen aussehen.»

«In England nennt man sie Vogelbeerbäume. Sie haben gefiederte Blätter und knallrote Beeren, so ähnlich wie Holunder.»

Aus nächster Nähe sah das Haus gar nicht mehr so verfallen aus wie von weitem. Aus Stein gebaut, machte es nach wie vor einen stabilen Eindruck; wenn auch das Wellblechdach hoffnungslos kaputt war und die Tür schief in den Angeln hing, merkte man doch, daß es einst eine ganz ordentliche Bleibe gewesen sein mußte, gemütlich in die Hügelfalte gekuschelt, mit einem Garten, der noch zwischen den Bruchsteinmauern zu erkennen war. Sie gingen über den zugewachsenen Pfad und traten durch die Tür, wobei Oliver klugerweise den Kopf einzog. Dahinter lag ein einziger großer Raum mit einem rostigen Eisenherd auf der einen Seite, einem kaputten Stuhl davor und den Überbleibseln eines Schwalbennestes auf dem Boden. Der Untergrund war übersät mit Rissen, Löchern und Vogeldungflecken, und die Staubkörner in der Luft tanzten auf den schräg einfallenden Sonnenstrahlen.

In der Ecke führte eine halb vermoderte Leiter nach oben.

«Bildhübsches, freistehendes Haus mit zwei Stockwerken», sagte Oliver. «Wer kommt mit hinauf?»

Jody rümpfte die Nase. «Ich nicht», sagte er. Er hatte Angst vor Spinnen. «Ich gehe lieber wieder in den Garten und schaue mir mal die Eberesche an.»

Also kletterten Caroline und Oliver allein die modrige Leiter hinauf, von der mehr Sprossen zerbrochen als intakt waren. Durch die Löcher im Dach flutete Sonnenlicht. Die Dielenbretter waren morsch, die tragenden Balken darunter

145

jedoch stabil, und Oliver konnte in der Mitte gerade aufrecht stehen, ohne daß er mit dem Kopf an die Firststange stieß.

Caroline steckte vorsichtig den Kopf durch ein Loch im Dach und erspähte Jody, der wie ein Affe an einem Ast der Eberesche schaukelte. Ihr Blick schweifte auf den See mit seinen sanft geschwungenen Ufern, das Grün der ersten Felder, auf grasendes Vieh, braun und weiß wie Spielzeugkühe. Sie zog den Kopf wieder zurück und drehte sich zu Oliver. Er hatte eine Spinnwebe am Kinn und sagte mit einem Cockney-Akzent: «Na wie wär's, gnä Frau? Mit 'n paar Spritzern Farbe erkenn Se das Haus nich wieder!»

«Aber Sie könnten doch nicht wirklich was damit anfangen, oder? Jetzt mal im Ernst.»

«Nun, wenn ich das große Haus verkaufe, kann ich es mir vielleicht leisten, ein bißchen Geld in dieses hier zu stecken.»

«Aber es hat kein fließend Wasser.»

«Das könnte ich schon installieren.»

«Und keine Kanalisation.»

«Klärgrube.»

«Keinen Strom.»

«Petroleumlampen. Kerzen. Sowieso viel schmeichelhafter.»

«Und womit wollen Sie kochen?»

«Butangas.»

«Und wann würden Sie es nutzen?»

«An den Wochenenden. In den Ferien. Ich könnte mit meinen Kindern herkommen.»

«Ich wußte gar nicht, daß Sie welche haben.»

«Bis jetzt hab ich auch keine. Soviel ich weiß. Aber wenn ich mal heirate, dann wäre es doch hübsch, so was im Hintergrund zu haben. Damit würde mir auch immerhin noch ein kleines Stückchen von Cairney gehören – was auch für Ihre sentimentale Seele ein Trost sein sollte.»

146

«Dann macht es Ihnen also doch was aus.»

«Caroline, das Leben ist zu kurz, als daß man zu lange zurückblicken dürfte. Da kommt man nur vom Weg ab und stolpert und fällt prompt noch auf die Nase. Ich schaue lieber nach vorn.»

«Aber dieses Haus…»

«Das war nur so eine Idee. Ich dachte, Sie freuen sich vielleicht daran. Kommen Sie, wir müssen zurück, sonst denkt Mrs. Cooper noch, wir sind allesamt ertrunken.»

Er stieg die Leiter als erster wieder hinunter und probierte vorsichtig jede verbliebene Sprosse aus, bevor er sich mit dem ganzen Gewicht darauf stellte. Unten angekommen, hielt er mit beiden Händen die Leiter für Caroline, die jedoch prompt auf halber Strecke steckenblieb und weder vor noch zurück kam. Sie mußte lachen, er sagte, sie solle springen, sie sagte, das könne sie nicht, er sagte, das könne doch jeder, aber da lachte Caroline schon so heftig, daß sie überhaupt nichts Vernünftiges mehr tun konnte, schließlich rutschte sie, wie nicht anders zu erwarten, aus, man hörte morsches Holz knacken, und dann kam sie höchst unelegant heruntergeschlittert, bis Oliver sie in seinen Armen auffing.

Ein Erikazweig hatte sich in ihrem hellblonden Haar verfangen, ihr Pullover war noch warm von der Sonne, und der lange Schlaf der letzten Nacht hatte die dunklen Schatten unter den Augen vertrieben. Ihre Haut war glatt und rosig, sie sah ihn an, hilflos vor Lachen. Ohne zu überlegen, beugte er sich vor und küßte sie. Plötzlich war es ganz still. Einen Augenblick hielt sie inne, dann legte sie ihm die Hände auf die Brust und schubste ihn sanft weg. Das Lachen war aus ihrem Gesicht verschwunden, ihre Augen hatten einen Ausdruck, den er noch nie darin gesehen hatte.

Schließlich sagte sie: «Es war einfach der Tag heute.»

«Was soll das heißen?»

«Es gehörte zu einem schönen Tag. Zur Sonne. Zum Frühling.»

«Ändert das irgendwas?»

«Ich weiß es nicht.»

Sie wich zurück, löste sich aus seinen Armen, drehte sich um und ging zur Tür. Dort lehnte sie sich an den Pfosten, so daß ihre Silhouette sich im Gegenlicht abzeichnete, das zerzauste Haar wie ein Glorienschein um den Kopf.

«Es ist ein wunderbares Häuschen. Ich finde, Sie sollten es behalten.»

Jody war von der Eberesche heruntergesprungen; das Ufer hatte ihn wieder gelockt. Er warf Steine ins Wasser, die eigentlich springen sollten, und brachte Lisa zur Verzweiflung, weil sie nicht wußte, ob sie ins Wasser rennen und sie apportieren sollte oder lieber stehenblieb, wo sie war. Caroline suchte sich einen flachen Kiesel, schleuderte ihn weg, und er plitschte dreimal auf, bevor er versank.

Jody ärgerte sich grün und blau. «Das ist gemein. Zeig mir doch wenigstens mal, wie's geht.»

Caroline drehte sich um, damit er ihr Gesicht nicht sah. Auf einmal wußte sie nämlich, warum sie in Drennan Colefield endgültig nicht mehr verliebt war. Und, was noch viel erschreckender war, sie wußte auch, warum sie Oliver nicht erzählt hatte, daß sie Hugh heiraten würde.

Als Liz auf Cairney ankam, war alles still und offenbar kein Mensch da. Sie hielt vor der Tür, stellte den Motor ab und wartete, daß jemand herauskäme, um sie zu begrüßen. Was aber nicht geschah. Da die Haustür offenstand, stieg sie aus, ging hinein und rief in der Eingangshalle nach Oliver. Keine Antwort, doch aus Richtung Küche hörte man Geklapper, also ging Liz, die sich im Haus gut auskannte, den Gang hinunter, trat durch die Schwingtür und überraschte Mrs. Cooper, die soeben vom Wäscheaufhängen im Garten zurückgekehrt war.

Sie schreckte nach allen Regeln der Kunst zusammen und fuhr sich mit der Hand ans Herz. «Liz!» Sie kannte Liz von klein auf, und es wäre ihr nie eingefallen, sie Miss Fraser zu nennen.

«Tut mir leid. Ich wollte Sie nicht erschrecken. Ich dachte, es ist niemand da.»

«Oliver ist draußen. Er hat die... anderen mitgenommen.» Sie hatte nur ganz kurz gezögert, doch Liz hatte es sofort gemerkt. Sie zog die Augenbrauen hoch.

«Die Überraschungsgäste, meinen Sie? Ich bin schon im Bilde.»

«Na was, das sind doch nur zwei Kinder. Oliver ist mit ihnen zum See, der kleine Junge wollte doch so gern das Boot sehen.» Sie blickte auf die Küchenuhr. «Aber sie müssen jeden Augenblick zurück sein, sie essen heute früh, Oliver muß nach Mittag noch mal nach Relkirk, mit dem Rechtsanwalt was besprechen. Warten Sie so lange? Bleiben Sie zum Essen?»

«Zum Essen bleibe ich nicht, aber ich warte einen Moment, und wenn sie dann nicht kommen, fahre ich wieder. Ich wollte nur einmal nachsehen, wie Oliver zurechtkommt.»

«Er hält sich ganz phantastisch», sagte Mrs. Cooper. «Vielleicht hat dieser Trubel auch sein Gutes gehabt, der lenkt ihn ab von seinem Kummer.»

«Welcher Trubel?» hakte Liz vorsichtig nach.

«Na was, daß diese Kinder so mir nichts, dir nichts aufgetaucht sind, mit ihrem Auto im Schnee und ohne was zum Übernachten.»

«Die beiden sind mit dem Auto gekommen?»

«Tja, sie sind wohl von London hochgefahren. Das Auto

steckte im Graben fest und war nach der Nacht draußen auch noch eingefroren. Aber mein Ian hat es mit dem Traktor in die Werkstatt geschleppt, und die haben heute früh schon angerufen, und da hat er es wieder abgeholt. Jetzt steht es im Schuppen hinterm Haus, und sie können jederzeit damit losfahren.»

«Wann fahren sie denn?» Liz bemühte sich, ganz beiläufig zu klingen.

«Na was, das weiß ich nicht genau. Mir hat keiner was gesagt. Es hat geheißen, daß ihr Bruder in Strathcorrie ist, aber jetzt ist er anscheinend grade weg, und sie möchten wohl warten, bis er wiederkommt. Aber gehen Sie doch zu Oliver», fügte sie hinzu, «dann kann er Ihnen alles selber erzählen. Die drei sind bloß unten am See. Sie könnten ihnen ja ein Stückchen entgegengehen.»

Liz nickte. «Stimmt eigentlich.»

Statt dessen ging sie aber wieder nach draußen, setzte die dunkle Brille auf, zündete sich eine Zigarette an und streckte sich auf der Steinbank vor dem Fenster der Bibliothek in der Sonne aus.

Es war so still, daß sie ihre Stimmen in der reglosen Vormittagsluft schon lange hörte, bevor sie tatsächlich auftauchten. Der Gartenweg machte einen Bogen um die Buchenhecke, und als sie dahinter hervorkamen, waren sie anscheinend ins Gespräch vertieft, denn sie bemerkten Liz nicht gleich. Der kleine Junge ging voran, und ein paar Schritte dahinter zog Oliver, in einer ausgebeulten Tweedjacke und mit einem rotkarierten Tuch um den Hals, das Mädchen an der Hand hinter sich her, als ob sie vom vielen Laufen müde geworden wäre und nicht mehr richtig mitkäme.

Er redete. Liz hörte seine tiefe Stimme, ohne daß sie einzelne Wörter hätte verstehen können. Dann blieb das Mädchen stehen und beugte sich hinunter, anscheinend um einen

Stein aus dem Schuh zu entfernen. Das lange blonde Haar fiel ihr ins Gesicht, und Oliver blieb ebenfalls stehen, um auf sie zu warten, geduldig, den dunklen Kopf gesenkt und ohne ihre Hand loszulassen. Liz beobachtete das und bekam plötzlich Angst. Sie kam sich wie ausgeschlossen vor, als ob die drei sich gegen sie verschworen hätten. Schließlich war der Stein entfernt. Oliver ging weiter, mit dem Mädchen im Schlepptau, und dann fiel sein Blick plötzlich auf den dunkelblauen Triumph, der vor dem Haus geparkt war. Gleich darauf sah er Liz. Sie warf die Zigarette weg, trat sie mit dem Absatz aus, stand auf und wollte ihnen entgegengehen, doch da hatte Oliver die Hand des Mädchens schon losgelassen und kam in großen Schritten den steilen Hang hinauf auf sie zugelaufen.

«Liz.»

«Oliver.»

Sie sah besser aus denn je, in einer engen Lederhose und einer modischen Lederjacke. Er faßte sie an beiden Händen und gab ihr einen Kuß. «Bist du hier, um mir wegen gestern abend den Kopf zu waschen?»

«Nein», sagte Liz wahrheitsgemäß und blickte ihm über die Schulter, wo Caroline und Jody langsam den Weg heraufkamen. «Ich habe dir doch gesagt, daß ich auf deinen urplötzlich aufgetauchten Besuch neugierig bin. Ich wollte mal guten Tag sagen.»

«Wir waren am See unten.» Er drehte sich um. «Caroline, das ist Liz Fraser. Sie und ihr Vater sind meine nächsten Nachbarn, und sie geht auf Cairney praktisch ein und aus, seit sie laufen kann. Ich habe Ihnen vorhin ihr Haus gezeigt, das hinter den Bäumen. Liz, das ist Caroline Cliburn, und das ist Jody.»

«Guten Tag», sagte Caroline. Sie gaben sich die Hand. Liz

nahm ihre Sonnenbrille ab, und Caroline erschrak regelrecht über den Ausdruck in den Augen des anderen Mädchens.

«Hallo», sagte Liz. Und dann: «Hallo, Jody.»

«Guten Tag», sagte Jody.

Oliver fragte sie: «Bist du schon lange da?»

Sie wandte sich wieder ihm zu. «Höchstens zehn Minuten.»

«Bleibst du zum Mittagessen?»

«Mrs. Cooper hat mich schon sehr lieb eingeladen, aber ich werde zu Hause erwartet.»

«Dann komm auf einen Drink mit rein.»

«Nein, ich muß wirklich zurück. Ich wollte nur vorbeischauen.» Sie lächelte Caroline an. «Mrs. Cooper hat mir schon alles über euch erzählt. Ihr habt also einen Bruder, der in Strathcorrie lebt.»

«Noch nicht sehr lange...»

«Vielleicht kenne ich ihn ja. Wie heißt er denn?»

Ohne zu wissen warum, zögerte Caroline, und Jody, der das merkte, antwortete an ihrer Stelle.

«Cliburn, so wie wir», teilte er Liz mit. «Angus Cliburn.»

Nach dem Mittagessen fuhr Oliver in die Stadt, insgeheim fluchend, daß er an einem so schönen Nachmittag in Anzug und Krawatte seine Zeit in einer stickigen Anwaltskanzlei absitzen mußte.

Caroline und Jody begleiteten ihn zum Auto und winkten ihm nach. Als der Wagen außer Sichtweite war, blieben sie noch stehen und horchten. Er bog in die Landstraße ein und brauste über den Hügel davon.

Nun war er fort, und sie wußten nichts Rechtes mit sich anzufangen. Mrs. Cooper war nach dem Abspülen nach Hause gegangen, um sich ihrem eigenen Haushalt zu widmen und einen Schwung Wäsche aufzuhängen, bevor die Sonnenstrahlen wieder ihre Kraft einbüßten. Jody kickte niedergeschlagen im Kies herum. Caroline sah ihm mitfühlend zu; sie wußte genau, wie ihm zumute war.

«Wozu hast du denn jetzt Lust?»

«Weiß nicht.»

«Willst du noch mal zum See runter?»

«Weiß nicht.» Er verhielt sich wie jeder kleine Junge, dem man plötzlich den besten Freund entführt hat.

«Wir könnten noch ein Puzzle legen.»

«Doch nicht im Haus.»

«Wir könnten es ja rausholen und in der Sonne machen.»

«Ich habe aber keine Lust auf Puzzle.»

Caroline gab sich geschlagen und setzte sich auf die Bank, wo am Vormittag Liz Fraser auf sie gewartet hatte. Sie merkte, daß sie instinktiv versuchte, nicht an die Begegnung zu denken. Dennoch fragte sie sich, warum das plötzliche Auftauchen des anderen Mädchens sie so beunruhigt hatte.

Es war schließlich das Natürlichste von der Welt: Sie war offensichtlich eine alte Freundin, eine unmittelbare Nachbarin, die Oliver scheinbar schon von klein auf kannte. Ihr Vater wollte Cairney übernehmen. Was lag da näher, als daß sie mal kurz vorbeikam, um Olivers Gäste kennenzulernen?

Und doch war da etwas. Eine heftige Antipathie, die Caroline in dem Augenblick gespürt hatte, als Liz die Sonnenbrille abgenommen und ihr direkt in die Augen gesehen hatte. Eifersucht womöglich? Aber dazu hatte sie doch wahrlich keinen Grund. Sie war hundertmal attraktiver als Caroline, und Oliver lag ihr offensichtlich zu Füßen. Oder wollte sie ihn einfach für sich haben, so ähnlich wie eine Schwester? Aber das alles erklärte noch nicht, warum Caroline den Eindruck gehabt hatte, daß Liz sie am liebsten in der Luft zerrissen hätte.

Jody hockte auf dem Boden und schaufelte mit staubigen Händen kleine Kieselhaufen auf. Er hob den Kopf.

«Da kommt jemand.»

Sie horchten. Er hatte recht. Ein Auto war unten in die Einfahrt eingebogen und kam nun aufs Haus zu.

«Vielleicht hat Oliver was vergessen.»

Doch es war nicht Oliver, sondern derselbe dunkelblaue Triumph, der am Vormittag vor dem Haus gestanden hatte; das Verdeck war zurückgeklappt, und Liz Fraser mit ihrem schimmernden Haar, der dunklen Brille und einem Seidenschal um den Hals saß am Steuer. Instinktiv standen Caroline und Jody auf, keine zwei Meter vor ihnen bremste der Wagen so scharf, daß eine Staubwolke von den Hinterrädern aufstieg.

«Noch mal hallo», sagte Liz und stellte den Motor ab.

Jody sagte nichts und sah kaum auf. Caroline sagte «Hallo»; Liz stieg aus und kam lächelnd auf sie zu. Als sie die Brille abnahm, fiel Caroline auf, daß ihre Augen nicht mitlachten. «Ist Oliver schon weg?»

«Ja, gerade vor zehn Minuten.»

Liz lächelte Jody zu und griff auf den Rücksitz. «Ich habe dir etwas mitgebracht. Falls du Langeweile hast, dachte ich mir.» Sie holte einen kleinen Golfschläger und einen Golfball heraus. «Früher war da auf dem flachen Stück Rasen ein kleiner Golfplatz zum Üben. Wenn du ein bißchen suchst, findest du sicher noch das Loch und ein paar Markierungen. Spielst du gern Golf?»

Jody strahlte. Er liebte Mitbringsel. «Vielen Dank. Ich weiß gar nicht, ich hab's noch nie probiert.»

«Es macht Spaß. Ist nicht ganz einfach. Lauf doch mal los und üb ein bißchen.»

«Vielen Dank», sagte er noch einmal und rannte los. Auf dem halben Weg drehte er sich um. «Wenn ich es kann, kommen Sie dann, und wir machen ein Spiel?»

«Natürlich. Wir spielen um die Wette, und dann sehen wir mal, wer den Preis kriegt.»

Er rannte weiter den Abhang hinunter, bis auf den flachen Rasen. Als sich Liz Caroline zuwandte, lächelte sie nicht mehr. «Eigentlich wollte ich mit dir reden. Setzen wir uns doch. Das ist so viel gemütlicher.»

Sie setzten sich, Caroline eher mißtrauisch, Liz ganz entspannt; sie nahm eine Zigarette heraus und zündete sie mit einem kleinen goldenen Feuerzeug an. «Meine Mutter hat mich angerufen», sagte sie.

Auf diese großzügige Mitteilung fiel Caroline nichts ein. Liz fuhr fort: «Du weißt nicht, wer ich bin, oder? Ich meine, außer daß ich Liz Fraser heiße und von Rossie Hill komme?» Caroline schüttelte den Kopf. «Aber Elaine und Parker Haldane kennst du doch.» Caroline nickte. «Schau doch nicht so verdutzt, Mädchen. Elaine ist meine Mutter.»

Im nachhinein verstand Caroline nicht mehr, wie sie so begriffsstutzig hatte sein können. Elizabeth. Liz. Schottland. Ihr fiel wieder ein, wie Elaine auf dieser letzten Gesellschaft in London von Elizabeth erzählt hatte. *Nun, weißt du, vor zehn Jahren, als Duncan und ich noch zusammen waren, haben wir dieses Haus in Schottland gekauft.* Duncan, der Vater von Liz, der Cairney von Oliver übernehmen wollte. *Elizabeth hat sich natürlich sofort mit den beiden Jungs angefreundet, die auf dem Nachbargut wohnten… Der ältere Bruder… kam bei einem grauenhaften Autounfall ums Leben.*

Und dann fiel ihr ein, wie Jody erzählt hatte, daß Charles ums Leben gekommen war, und wie sie das unterbewußt an etwas erinnert hatte, ohne daß sie darauf gekommen wäre, woran.

Die einzelnen Teile waren versprengt gewesen, wie Jodys Puzzlestücke, bevor er sie zusammengefügt hatte, aber sie hatten direkt unter ihrer Nase gelegen, nur war sie bisher zu dumm gewesen oder vielleicht zu sehr mit ihren eigenen Problemen beschäftigt, um sie zusammenzusetzen.

«Ich kenne dich nur als Elizabeth.»

«So nennen mich meine Mutter und Parker, aber hier heiße ich schon immer Liz.»

«Ich habe einfach zwei und zwei nicht zusammengezählt.»

«Tja, jetzt weißt du es. So ein Zufall, und wie klein ist die Welt und so. Wie gesagt, heute vormittag hat meine Mutter angerufen.»

Sie ahnte bereits etwas. «Was hat sie dir erzählt?»

«Na ja, alles, nehme ich an. Das mit dir und… Jody heißt er, oder? Daß ihr verschwunden seid. Daß Diana vor lauter Sorge schier verzweifelt, weil sie überhaupt nichts weiß, außer daß ihr in Schottland seid. Und das mit der Riesenhochzeit am Dienstag. Daß du Hugh Rashley heiratest.»

«Ja», sagte Caroline matt. Was sollte man darauf schon sagen?

«Du hast dir ja anscheinend ganz schön was eingebrockt.»

«Ja», sagte Caroline. «Irgendwie schon.»

«Meine Mutter hat gesagt, daß ihr nach Schottland wolltet, um Angus zu suchen. War das nicht von vornherein ein eher hoffnungsloses Unterfangen?»

«Wir haben es einfach versucht. Jody wollte eben unbedingt zu Angus. Weil Diana und Shaun Jody nach Kanada mitnehmen wollen, Jody aber nicht mitwill, und Hugh will nicht, daß Jody bei uns wohnt. Da bleibt nur noch Angus.»

«Ich dachte, Angus ist ein Hippie.»

Instinktiv hätte Caroline ihren Bruder am liebsten mit Zähnen und Klauen verteidigt, aber genaugenommen war es schwierig, dagegen etwas zu sagen. Sie zuckte die Achseln. «Er ist unser Bruder.»

«Und wohnt in Strathcorrie?»

«Er arbeitet dort. Im Hotel.»

«Aber zur Zeit gerade nicht, oder?»

«Nein, aber morgen müßte er eigentlich wieder da sein.»

156

«Und Jody und du, ihr wollt hier warten, bis er kommt?»

«Ich... ich weiß es nicht.»

«Das klingt aber nicht sehr überzeugt. Vielleicht kann ich dir bei deiner Entscheidung ja helfen. Oliver macht zur Zeit einiges durch; ich weiß nicht, ob dir das klar ist. Er hat Charles sehr geliebt, sie waren ja nur zu zweit. Und jetzt ist Charles tot, Cairney muß verkauft werden, und das ist für Oliver sehr bitter. Meinst du nicht, daß es unter diesen Umständen vielleicht... sehr rücksichtsvoll wäre, wenn ihr nach London zurückfahren würdet? Oliver zuliebe. Und Diana. Und Hugh.»

Caroline ließ sich nicht einwickeln. «Warum willst du uns aus dem Weg haben?»

Liz antwortete seelenruhig. «Vielleicht weil du Oliver in Verlegenheit bringst.»

«Deinetwegen?»

Liz lächelte. «Ach, weißt du, wir kennen uns schon so lang, wir stehen uns sehr nahe. Näher, als du dir vorstellen kannst. Das ist ja einer der Gründe, weshalb mein Vater Cairney kauft.»

«Du willst ihn heiraten?»

«Natürlich.»

«Das hat er uns nicht erzählt.»

«Warum sollte er auch? Hast du ihm denn erzählt, daß du heiratest? Oder ist das vielleicht ein Geheimnis? Du trägst ja überhaupt keinen Verlobungsring.»

«Ich... den habe ich in London gelassen. Er ist mir zu groß, und ich habe immer Angst, daß ich ihn verliere.»

«Aber er weiß es nicht, oder?»

«Nein.»

«Das ist ja komisch, daß du Oliver nichts davon gesagt hast. Nach allem, was meine Mutter so erzählt, muß das doch eine ganz große Sache werden. Für einen wohlhabenden Börsenmakler wie Hugh Rashley gehört so etwas schließlich auch zum Image. Du willst ihn doch nach wie vor heiraten? Aber aus irgendeinem Grund soll Oliver nichts davon erfahren?»

Und als Caroline auf keine dieser Fragen eine Antwort gab, lachte sie auf. «Mein liebes Kind, du hast dich wohl in ihn verliebt. Na, kann man dir ja nicht verdenken. Tut mir sehr leid für dich. Aber ich schlage dir ein kleines Geschäft vor. Du fährst mit Jody nach London zurück, und ich lasse bei Oliver kein Sterbenswort über deine Hochzeit verlauten. Er wird nicht die geringste Ahnung haben, bis er am Mittwoch in der Zeitung davon liest, denn ihr werdet ja sicher in der Zeitung stehen, mit einem ganz süßen Bild von euch vor der Kirche. Wie findest du das? Keine Erklärungen, keine Ausflüchte. Einfach ein sauberer Schlußstrich. Du gehst zurück zu deinem Hugh, der dich offensichtlich anbetet, und den Hippiebruder Angus überläßt ihr sich selber. Na, klingt das nicht vernünftig?»

«Aber Jody...» erwiderte Caroline hilflos.

«Der ist doch nur ein Kind. Ein kleiner Junge. Kinder gewöhnen sich an alles. Er wird von Kanada begeistert sein, in Null Komma nichts ist er Kapitän in seinem Eishockeyteam. Diana kann sich am allerbesten um ihn kümmern, das wirst du doch einsehen? Ein Mensch wie Angus würde einen ganz schlechten Einfluß auf ihn haben. Ach, Caroline, komm aus deinem siebten Himmel runter und sieh den Tatsachen ins Auge. Vergiß das Ganze und fahr nach London zurück.»

Auf dem Rasen unten ertönte Triumphgeheul, als Jody mit dem Ball endlich ins Loch getroffen hatte. Den neuen Schläger schwingend, kam er den Hang heraufgerannt. «Ich kriege es langsam raus. Man muß ganz langsam draufhauen und nicht zu fest und...» Er stockte. Liz war aufgestanden und zog sich die Handschuhe an. «Spielen Sie denn nicht mit mir?»

«Ein andermal», sagte Liz.

«Aber Sie haben es doch gesagt.»

«Ein andermal.» Sie stieg ins Auto und verstaute anmutig ihre langen Beine. «Jetzt hat nämlich deine Schwester was mit dir zu besprechen.»

Oliver fuhr durch die Dämmerung dieses herrlichen Tages nach Hause, und zwar in ganz anderer Stimmung als am Vortag: entspannt und irgendwie zufrieden. Das lange Gespräch mit dem Anwalt hatte ihn überhaupt nicht erschöpft, sondern ihm einen klaren Kopf und ein viel besseres Gefühl beschert, nun, da er sich einen Ruck gegeben und sich tatsächlich zum Verkauf des Hauses entschlossen hatte. Besprochen wurde auch, daß er das Cottage am See behalten, renovieren und in ein Ferienhäuschen umwandeln wollte, und der Anwalt hatte keinerlei Bedenken gehabt, vorausgesetzt, daß Oliver sich mit Duncan Fraser über eine Zufahrtsstraße über dessen zukünftiges Grundstück einigen konnte.

Oliver konnte sich nicht vorstellen, daß Duncan ihm irgendwelche Steine in den Weg legen würde. Der Gedanke, daß das Häuschen wiederaufgebaut und hergerichtet wurde, erfüllte ihn mit Befriedigung. Er würde den Garten bis zum See hinunterziehen, den alten Ofen flottmachen, den Kamin wieder mauern und auf dem Boden Dachfenster einbauen. Vergnügt pfiff er vor sich hin. Das lederumwickelte Lenkrad lag warm und fest in der Hand, der Wagen glitt dahin und nahm die vertrauten Kurven der Landstraße geschmeidig wie ein Hürdenläufer. Als ob er wüßte, daß es heimwärts ging.

An der Einfahrt bog er ab, donnerte die Allee hinauf und ließ bei den Rhododendren eine Hupfanfare ertönen, um Caroline und Jody mitzuteilen, daß er wohlbehalten wieder zurück sei. Er ließ den Wagen vor der Haustür stehen, ging hinein, legte das Jackett ab und wartete darauf, daß Jody ihm entgegenrannte.

Doch im Haus war alles still. Er legte sein Jackett auf einen Stuhl und rief: «Jody!» Keine Antwort. «Caroline!» Immer noch nichts. Er ging in die Küche, doch die war leer und dunkel. Mrs. Cooper war noch nicht wieder zurück. Verwirrt ließ er die Schwingtür los und ging in die Bibliothek. Dort war es ebenfalls dunkel, das Feuer im Kamin war fast verglommen. Er machte Licht und trat an den Kamin, um nachzulegen. Da sah er den weißen Umschlag auf seinem Schreibtisch, ans Telefon gelehnt. Einer von den schönen Umschlägen aus der obersten Schublade, und vorn stand sein Name drauf.

Als er ihn öffnete, bemerkte er erstaunt, daß seine Hände zitterten. Er klappte das Blatt auf und las Carolines Brief.

Lieber Oliver,
nachdem Sie weg waren, haben Jody und ich noch mal alles besprochen und sind zu dem Schluß gekommen, daß es am besten ist, wenn wir nach London zurückfahren. Es hat keinen Sinn, auf Angus zu warten, wer weiß, wann er wiederkommt, und es ist Diana gegenüber nicht fair, noch länger zu bleiben, wenn sie keine Ahnung hat, wo wir sind.

Bitte machen Sie sich keine Sorgen um uns. Das Auto läuft wunderbar, Ihre Werkstatt hat es netterweise sogar vollgetankt. Schneestürme gibt es jetzt bestimmt nicht mehr, und wir kommen sicher wohlbehalten zu Hause an.

Wir können uns bei Ihnen und Mrs. Cooper gar nicht genug für alles bedanken, was Sie für uns getan haben. Es war herrlich auf Cairney. Wir werden es nie vergessen.
Liebe Grüße von uns beiden,
Caroline

7

Am nächsten Morgen fuhr er nach Rossie Hill. Um noch ein paar Sachen mit Duncan Fraser zu besprechen, wie er sich einredete. Es war wieder ein strahlender Tag, allerdings kälter; über Nacht hatte es ganz leicht gefroren, und die Sonne hatte noch nicht genug Kraft, um alles aufzutauen, doch rechts und links der Auffahrt zu Rossie Hill nickten schon Narzissenköpfe, und als er ins Haus trat, duftete es nach den blauen Hyazinthen, die in einer großen Schale auf dem Tisch in der Eingangshalle standen.

Genauso vertraut mit dem Haus wie Liz mit Cairney, suchte er nach Anwesenden und entdeckte schließlich Liz im Arbeitszimmer ihres Vaters, wo sie am Schreibtisch saß und telefonierte, anscheinend mit dem Metzger. Als er die Tür öffnete, hob sie den Kopf und bedeutete ihm mittels hochgezogener Augenbrauen, er möge warten. Er kam herein, stellte sich vor den Kamin und genoß die Wärme an den Beinen.

Sie beendete ihr Gespräch und legte auf, blieb jedoch am Telefon sitzen und baumelte versonnen mit einem langen Bein. Sie trug einen Faltenrock, einen engen Pullover und ein locker um den Hals geschlungenes Seidentuch. Ihre Haut schimmerte noch von der Sonne in Antigua, und ihre dunklen Augen ruhten einen langen Moment lang in seinen.

«Suchst du jemanden?» fragte sie schließlich.

«Deinen Vater.»

«Der ist weg. Nach Relkirk gefahren, kommt erst mittags wieder.» Sie nahm ein silbernes Zigarettenetui und hielt es Oliver hin. Als er den Kopf schüttelte, nahm sie sich selbst eine und zündete sie an dem schweren Tischfeuerzeug an.

Nachdenklich beobachtete sie ihn durch eine blaue Rauch-wolke hindurch. «Du siehst etwas angestrengt aus, Oliver. Ist irgendwas los?»

Er hatte den ganzen Morgen versucht sich einzureden, daß nichts los sei, aber jetzt rutschte ihm einfach heraus: «Caroline und Jody sind weg.»

«Weg?» Sie klang leicht überrascht. «Wohin sind sie denn gefahren?»

«Nach London zurück. Als ich gestern abend nach Hause kam, lag ein Brief von Caroline da.»

«Na, das ist doch das beste.»

«Da haben sie soviel auf sich genommen und dann ihren Bruder nicht mal gesehen.»

«Nach allem, was ich höre, hätte das auch nicht viel ge-nützt.»

«Aber es war ihnen wichtig. Jody vor allem.»

«Sofern sie nur deiner Meinung nach die Rückfahrt nach London schaffen, würde ich mir an deiner Stelle nicht zu viele Gedanken um die beiden machen. Du hast schon genug um die Ohren, ohne daß du für ein paar Jammergestalten, die du überhaupt nicht kennst, das Kindermädchen spielen mußt.» Sie wechselte das Thema, als ob das Ganze nicht be-sonders wichtig wäre. «Wieso wolltest du denn zu meinem Vater?»

Er hatte es beinahe schon vergessen. «Wegen einer Zu-fahrtsstraße. Ich möchte das Cottage am See behalten, wenn es ihm recht ist, aber dann brauche ich eine Zufahrtsstraße durchs Tal.»

«Das Cottage behalten? Aber es ist doch völlig verfallen.»

«Im Grunde ist es noch ganz stabil. Man muß es nur ein bißchen in Ordnung bringen, und ein neues Dach braucht es.»

«Und wofür möchtest du das Cottage?»

«Für mich. Vielleicht als Ferienhaus, ich weiß noch nicht. Einfach für mich.»

«Hab ich dir diesen Floh ins Ohr gesetzt?»

«Kann schon sein.»

Sie glitt von ihrem Stuhl und kam auf ihn zu. «Oliver, ich weiß etwas Besseres.»

«Nämlich?»

«Laß meinen Vater das Wohnhaus kaufen.»

Oliver lachte. «Das will er doch gar nicht.»

«Nein, aber ich. Ich hätte es gern. Für... wie hattest du gesagt? Ferien. Und Wochenenden.»

«Und was würdest du damit anfangen?»

Sie warf ihre Zigarette ins Feuer. «Ich würde mit meinem Mann hinfahren. Und mit meinen Kindern.»

«Würde denen das gefallen?»

«Weiß ich nicht. Das mußt du mir sagen.»

Ihre Augen blickten klar, ehrlich, ohne zu blinzeln. Er war verblüfft, fühlte sich aber auch geschmeichelt. Und er staunte. Die kleine Liz, die langbeinige, schlaksige Liz fragte ganz erwachsen und in aller Seelenruhe, ob Oliver...

«Verzeih, wenn ich mich irre, aber bin nicht eigentlich ich derjenige, der mit solchen Vorschlägen aufwarten sollte?»

«Eigentlich schon. Aber wir kennen uns zu lange, als daß wir uns in verschämten Spielchen ergehen müßten. Und ich werde das Gefühl nicht los, daß dieses Wiedersehen, das für beide ganz unerwartet kam, irgendwie vorbestimmt ist. Zu einem Muster gehört. Ich werde das Gefühl nicht los, daß Charles es so gewollt hat.»

«Aber es war doch Charles, der dich immer geliebt hat.»

«Eben. Und Charles ist tot.»

«Hättest du ihn geheiratet, wenn er noch am Leben wäre?»

Statt einer Antwort schlang sie ihm die Arme um den Hals, zog seinen Kopf herunter und küßte ihn auf den Mund. Einen

Augenblick zögerte er, vollkommen überrumpelt, doch nur einen Augenblick. Es war schließlich Liz, eine nach teurem Parfüm duftende, strahlende, hinreißend attraktive Liz. Er nahm sie in die Arme, zog ihren schlanken Körper an sich und sagte sich, daß sie womöglich recht hatte. Vielleicht sollte sein Leben in diese Richtung gehen, und vielleicht war es wirklich das, was Charles immer gewollt hatte.

Er kam, was nur natürlich war, zu spät zum Mittagessen nach Hause. Die Küche war leer – ein stummer Vorwurf –, sein Teller stand verwaist auf dem Tisch, und vom Herd her roch es nach gutem Essen. Er machte sich auf die Suche nach Mrs. Cooper und fand sie im Kinderzimmer, mit dem Aufräumen der Spielsachen beschäftigt, die Jody hatte herumliegen lassen, mit einem Blick wie eine Mutter, der man die Kinder geraubt hat.

Er steckte den Kopf zur Tür hinein. «Ich bin zu spät, tut mir leid.»

Sie sah von dem Baukasten auf, den sie fein säuberlich einräumte. «Ach, das macht nichts.» Es klang matt. «Es gibt bloß Shepherd's Pie. Steht im Rohr, Sie können davon essen, wann Sie wollen.»

Es hatte sie ziemlich mitgenommen, als er ihr am Vorabend erzählt hatte, daß die Cliburns abgefahren waren. Wie sie im Moment aussah, war der Schock wohl immer noch nicht überwunden. Er machte einen schwachen Versuch, sie aufzuheitern: «Sie müssen inzwischen schon ganz schön weit gekommen sein. Heut abend sind sie in London, wenn der Verkehr nicht zu schlimm ist.»

Mrs. Cooper schniefte. «Ich kann das leere Haus kaum aushalten. Kommt mir vor, als hätte der kleine Junge sein Lebtag hier gewohnt. Es war, wie wenn auf einmal wieder Leben nach Cairney gekommen wäre.»

«Stimmt», sagte Oliver mitfühlend. «Aber morgen oder übermorgen wären sie sowieso wieder abgefahren.»

«Und ich hab ihnen noch nicht mal Lebwohl sagen können.» Es klang wie ein Vorwurf.

«Ich weiß.» Etwas anderes fiel ihm nicht ein.

«Und seinen Bruder hat er überhaupt nicht mehr gesehen. Da hat er soviel von seinem Bruder Angus erzählt, und dann sieht er ihn nicht mehr. Bricht einem doch das Herz.»

So etwas kam von Mrs. Cooper nicht alle Tage. Auf einmal war Oliver genauso niedergeschlagen wie sie. «Ich werde jetzt erst mal was essen», sagte er schwach. An der Tür fiel ihm dann wieder ein, warum er sie ursprünglich gesucht hatte. «Übrigens, Sie brauchen heute abend nicht zu kommen, ich bin zum Abendessen auf Rossie Hill eingeladen.»

Sie nickte stumm, als brächte sie vor lauter Kummer kein weiteres Wort heraus. Oliver überließ sie ihrer Aufräumwut und ging wieder hinunter. Das Haus lag stumm und lauernd da, als sei es über den Verlust von Jodys lärmender Gegenwart ebenso betrübt wie Mrs. Cooper.

Rossie Hill, für ein festliches Abendessen hergerichtet, funkelte und glitzerte wie eine Schmuckschatulle. Als Oliver eintrat, duftete es nach Hyazinthen, im Kamin flackerte ein Feuer, Wärme und Gemütlichkeit empfingen ihn. Als er die Jacke auszog und auf einen Stuhl in der Eingangshalle ablegte, tauchte Liz mit einem Kübel Eiswürfel aus der Küche auf. Sie blieb stehen und strahlte ihn an.

«Oliver.»

«Hallo.»

Er faßte sie an den Schultern und küßte sie sacht, sorgfältig darauf bedacht, die perfekten Lippenstiftkonturen nicht zu verwischen. Sie roch genauso köstlich, wie sie schmeckte. Er hielt sie von sich weg, um sie besser bewundern zu können.

Sie trug Rot, ein Seidenkleid mit Stehkragen, und an ihren zierlichen Ohren funkelten Diamanten. Sie kam ihm vor wie ein Paradiesvogel, ganz leuchtende Augen und glänzendes Gefieder.

«Ich bin zu früh dran», sagte er.

«Gar nicht, gerade richtig. Die anderen sind noch nicht da.»

«Welche anderen?»

«Ich habe dir doch gesagt, daß es ein richtiges Dinner wird.» Sie gingen ins Wohnzimmer, wo sie den Eiskübel auf ein sorgfältig vorbereitetes Getränketischchen stellte. «Die Allfords. Kennst du sie? Sie wohnen seit einiger Zeit in Relkirk. Er hat irgendwas mit Whisky zu tun. Sie freuen sich schon sehr darauf, dich kennenzulernen. So. Soll ich einen Drink mixen, oder willst du selber ran? Sei gewarnt – ich mache einen Martini, der es in sich hat.»

«Wo hast du denn das gelernt?»

«Ach, auf meinen Reisen aufgeschnappt.»

«Wäre es sehr unhöflich, wenn ich mich für einen Whisky Soda entscheiden würde?»

«Unhöflich überhaupt nicht, bloß typisch Schotte.»

Sie schenkte ihm den Whisky ein, genau wie er ihn mochte, nicht zu dunkel, sprudelnd und mit viel Eis. Als sie ihm das Glas reichte, küßte er sie noch einmal. Sie löste sich widerwillig von ihm, trat wieder an das Tischchen und begann in einem Krug Martinis zu mixen.

Unterdessen kam Duncan herein und begrüßte Oliver, und dann klingelte es, und Liz ging hinaus, um ihre anderen Gäste zu empfangen.

Als sie aus dem Zimmer war, sagte Duncan: «Liz hat es mir erzählt.»

Das überraschte Oliver. Sie hatten am Vormittag doch nichts Definitives beschlossen, nichts besprochen. Seine

166

Unterhaltung mit Liz war zwar für beide Seiten überaus angenehm gewesen, hat sich aber mehr um die Vergangenheit, um Erinnerungen gedreht als um die Zukunft. Schließlich hatten sie noch ewig Zeit, um über die Zukunft zu entscheiden.

Vorsichtig fragte er: «Was hat sie denn gesagt?»

«Nicht viel. Ein paar Andeutungen gemacht, sozusagen. Aber du sollst wissen, Oliver, daß mich nichts glücklicher machen würde.»

«Das... das freut mich.»

«Und was Cairney betrifft...» Stimmen kamen durch die halboffene Tür näher, und er brach ab. «Das besprechen wir später.»

Die Allfords waren in den mittleren Jahren, er massiv und beleibt, sie sehr schlank, in Rosa und Weiß und mit jenem duftigen blonden Haar, das so farblos wirkt, wenn es langsam grau wird. Man wurde einander vorgestellt, und dann fand Oliver sich auf dem Sofa neben Mrs. Allford wieder und erfuhr alles über ihre Kinder, die eigentlich zuerst nicht nach Schottland wollten, jetzt aber ganz begeistert seien; die Tochter, die im örtlichen Reitverein praktisch wohne, der Sohn, der gerade sein erstes Jahr in Cambridge absolviere.

«Und Sie... wohnen jetzt nebenan, wenn das der richtige Ausdruck ist.»

«Nein. Ich wohne in London.»

«Aber...»

«Mein Bruder, Charles Cairney, hat auf Cairney gewohnt, aber er ist bei einem Autounfall ums Leben gekommen. Ich bin nur gerade hier, um seine Angelegenheiten zu regeln.»

«Ach so, natürlich.» Mrs. Allford setzte eine Miene respektvoller Betroffenheit auf. «Das hätte ich wissen müssen. Entschuldigen Sie. Es ist so schwierig, jeden richtig einzuordnen, wenn man so viele Leute kennenlernt.»

Seine Aufmerksamkeit wanderte wieder zu Liz. Ihr Vater und Mr. Allford waren offenbar in ein geschäftliches Gespräch vertieft. Sie stand neben ihnen, mit einem Drink und einem Schälchen Erdnüsse in der Hand, aus dem Mr. Allford sich von Zeit zu Zeit geistesabwesend bediente. Sie spürte Olivers Blick und drehte sich um. Verstohlen zwinkerte er ihr zu, und sie lächelte ihn an.

Schließlich begab man sich zum Dinner; im Eßzimmer herrschte gedämpfte Beleuchtung, die Samtvorhänge waren zugezogen und verbannten die Nacht nach draußen. Spitzendeckchen, Kristall und Tafelsilber prangten auf dem dunklen polierten Holz des Tisches, und in der Mitte der Tafel leuchtete ein Meer von roten Tulpen, im selben Ton wie Liz' Kleid. Es gab Räucherlachs, rosa und köstlich, Weißwein, Escalopes de Veau, mit Kastanien gedünsteten Rosenkohl und zum Nachtisch ein Gedicht von einer Zitronencreme. Dann Kaffee und Cognac, der Geruch von Havannazigarren durchzog den Raum. Gesättigt und zufrieden mit den Annehmlichkeiten einer gepflegten Lebensart, schob Oliver seinen Stuhl zurück und widmete sich der After-Dinner-Konversation.

Hinter ihm schlug die Uhr auf dem Kaminsims neun. Irgendwann im Lauf des Tages hatte er den Gedanken an Jody und Caroline beiseite geschoben. Doch mit dem sanften Glockenschlag der Uhr befand sich Oliver plötzlich nicht mehr auf Rossie Hill, sondern bei den Cliburns in London. Inzwischen waren sie zu Hause, matt und müde, und mit dem Versuch beschäftigt, Diana alles zu erklären, was passiert war. Caroline war sicher erschöpft und blaß vom langen Fahren, und Jody merkte man bestimmt noch die Enttäuschung an.

Wir wollten zu Angus. Wir sind den ganzen weiten Weg nach Schottland gefahren, aber er war nicht da. Ich will nämlich nicht nach Kanada.

Diana war wahrscheinlich außer sich, schimpfte, verzieh zu

guter Letzt, machte Milch für Jody warm und brachte ihn ins Bett; und Caroline ging nach oben, langsam, niedergeschlagen, eine Hand am Geländer, das lange Haar im Gesicht.

«...was meinst du, Oliver?»

«Hm?» Alle sahen ihn an. «Entschuldigung, ich habe nicht zugehört.»

«Wir sprachen gerade über die Lachsfischereirechte im Tal, es heißt nämlich inzwischen, daß...»

Duncan verstummte. Niemand sagte etwas, und in der plötzlichen Stille fiel allen auf, was Duncan mit seinem scharfen Gehör bereits vernommen hatte: Motorenlärm, und zwar nicht von der Landstraße, sondern von der Auffahrt den Hügel hinauf nach Rossie Hill. Ein Lieferwagen oder ein kleiner Lastwagen; krachend wurde heruntergeschaltet, als die Steigung steiler wurde, dann streiften Scheinwerfer über die Vorhänge, und ein uralter Motor leierte vor sich hin.

Duncan blickte zu Liz. «Das hört sich ja an, als ob du den Kohlenmann bestellt hättest», witzelte er.

Sie runzelte die Stirn. «Wahrscheinlich hat sich jemand verfahren. Mrs. Douglas macht schon auf», und dann wandte sie sich gleichmütig wieder Mr. Allford zu, um das Gespräch fortzusetzen. Oliver horchte dagegen gespannt auf jedes Geräusch von draußen. Es klingelte, langsame Schritte gingen zur Tür, und man hörte eine hohe, aufgeregte Stimme, unterbrochen von Mrs. Douglas' schwachem Protest: «...darfst da nicht rein, das ist eine Gesellschaft.» Dann ein Ausruf: «Na was, du kleiner Teufel...», und im nächsten Augenblick flog die Tür auf, und draußen stand – Jody Cliburn.

Oliver sprang auf und warf seine Serviette auf den Tisch.

«Jody!»

«Ach, *Oliver*.»

Wie eine Rakete kam er durchs Zimmer geschossen und landete direkt in Olivers Armen.

Mit einem Schlag war die weltläufige Förmlichkeit der Abendgesellschaft verpufft. Das darauffolgende Durcheinander hätte komisch gewirkt, wenn es nicht so tragisch gewesen wäre. Jody war nämlich in Tränen aufgelöst, heulte wie ein Kleinkind, bohrte Oliver den Kopf in den Bauch und klammerte sich fest, als wollte er ihn nie wieder loslassen. Mrs. Douglas stand händeringend in der Tür und wußte nicht recht, ob sie ins Eßzimmer gehen und den Eindringling persönlich hinausschleifen sollte oder nicht. Duncan war aufgesprungen, ohne die geringste Ahnung, worum es ging und wer dieses Kind war. Gelegentlich fragte er : «Was zum Teufel geht hier vor?», doch darauf konnte ihm momentan niemand eine Antwort geben. Liz war ebenfalls aufgestanden, sagte aber nichts, sondern starrte nur auf Jodys Hinterkopf, als hätte sie ihn am liebsten an die nächstliegende Wand geschmettert wie eine faule Frucht. Nur die Allfords, der Etikette ergeben bis zum bitteren Ende, blieben sitzen. «Das ist ja ganz außergewöhnlich», murmelte Mr. Allford zwischen einzelnen Zügen an seiner Zigarre, «soll das heißen, er ist mit dem Kohlenlaster gekommen?» Mrs. Allford lächelte liebenswürdig, als sei es keine Frage, daß jede Abendgesellschaft von Rang, die sie mit ihrer Anwesenheit beehrte, durch Auftritte fremder Kinder unterbrochen werden müsse.

Aus den Tiefen von Olivers Weste drangen Schluchzer, Schniefer und gestammelte Sätze, ohne daß er ein Wort gehört, geschweige denn verstanden hätte. So durfte es natürlich nicht weitergehen, doch Jody hatte sich so fest an ihn geklammert, daß Oliver sich nicht rühren konnte.

«Jetzt komm», sagte er schließlich so laut, daß er das Geschluchz übertönte, «laß mal los. Wir gehen hinaus, und dann erzählst du mir, was passiert ist.» Seine Worte drangen irgendwie zu Jody durch, der seinen Klammergriff ein wenig lockerte und sich zur Tür lotsen ließ. «Bedaure», sagte Oliver im Gehen. «Wenn Sie mich bitte einen Augenblick entschuldigen... ganz unerwartet.»

Mit einem Gefühl, als sei ihm eine schwierige Flucht gelungen, stand er dann draußen in der Halle, und Mrs. Douglas, die gute Seele, machte die Tür hinter ihnen zu.

«Kommen Sie zurecht?» flüsterte sie.

«Ja, danke.»

Kopfschüttelnd ging sie in ihre Küche zurück. Oliver setzte sich auf einen geschnitzten Holzstuhl, der nie zum Sitzen gedacht war, und zog Jody zwischen seine Knie. «Hör auf zu weinen. Probier's wenigstens mal. Hier, putz dir die Nase und hör auf zu weinen.» Mit rotem, verquollenem Gesicht bemühte sich Jody tapfer, aber die Tränen flossen immer noch.

«Es g-g-geht nicht.»

«Was ist denn passiert?»

«Caroline ist krank. Richtig krank. Schlecht ist ihr, so wie neulich, und da tut es ihr furchtbar weh.» Er legte sich die verschmierten Hände auf den Bauch. «Und es wird immer schlimmer.»

«Wo ist sie?»

«Im Hotel Strathcorrie.»

«Aber sie hat doch geschrieben, daß ihr nach London zurückfahrt.»

«Ich hab sie nicht gelassen.» Die Tränen schossen ihm wieder in die Augen. «Ich w-wollte doch zu Angus.»

«Ist Angus schon zurück?»

Jody schüttelte den Kopf. «Nein. Es ist überhaupt keiner da, bloß Sie.»

«Hast du einen Arzt gerufen?»

«Ich... ich hab nicht gewußt, was ich machen soll. Ich wollte einfach zu Ihnen.»

«Meinst du, sie hat was Schlimmes?»

Sprachlos vor Tränen nickte Jody abermals. Hinter Oliver ging lautlos die Wohnzimmertür auf und wieder zu. Er drehte sich um, und da stand Liz. «Warum seid ihr denn nicht nach London zurückgefahren?» fragte sie Jody, der ihre wütende Miene sah und lieber schwieg. «Ihr habt doch gesagt, daß ihr abfahrt. Deine Schwester hat gesagt, sie bringt dich wieder zurück.» Ihre Stimme wurde plötzlich schrill. «Sie hat gesagt...»

Oliver stand auf, und Liz verstummte, als hätte er einen Hahn zugedreht. Er drehte sich wieder zu Jody um. «Wer hat dich hergefahren?»

«Ein M-Mann. Mit einem Lastwagen.»

«Geh hin und sag ihm, er soll warten. Ich bin in einer Sekunde draußen.»

«Aber wir müssen uns beeilen.»

Oliver wurde laut. «Ich hab gesagt, ich bin in einer Sekunde draußen.» Er drehte Jody um und gab ihm einen Schubs. «Geh schon, hopp. Sag ihm, daß du mich gefunden hast.»

Niedergeschlagen trottete Jody weg, kämpfte mit dem Knauf an der schweren Tür und schlug sie hinter sich zu. Oliver blickte Liz an. «Sie sind nicht abgereist, weil Jody noch eine letzte Chance haben wollte, seinen Bruder zu finden. Und jetzt ist Caroline krank. Das ist alles. Tut mir leid, ich muß weg.» Er ging auf die Garderobe zu, um seine Jacke zu holen. Hinter ihm sagte Liz: «Geh nicht.»

Stirnrunzelnd drehte er sich um. «Ich muß aber.»

«Du kannst den Arzt in Strathcorrie anrufen, der kümmert sich schon um sie.»

«Liz, ich muß gehen.»

«Bedeutet sie dir so viel?»

Er hätte es beinahe geleugnet, merkte dann aber, daß er überhaupt keine Lust dazu hatte. «Ich weiß es nicht. Vielleicht.» Er schlüpfte in den einen Ärmel.

«Und was ist mit uns? Mit dir und mir?»

Er konnte sich nur wiederholen. «Ich muß gehen, Liz.»

«Wenn du jetzt gehst, brauchst du überhaupt nicht mehr zurückzukommen.»

Das klang nach Herausforderung – oder nach Bluff. Wie auch immer, es kam ihm herzlich unwichtig vor. Er bemühte sich um einen sanften Ton. «Sag doch nicht Dinge, die du später bereust.»

«Wer sagt denn, daß ich das bereue?» Sie verschränkte die Arme und krallte sich so fest in die eigenen Oberarme, daß die Fingerknöchel an ihren braunen Händen weiß wurden. Es sah aus, als wolle sie sich selbst am Auseinanderbrechen hindern. «Wenn du nicht aufpaßt, bist du bald derjenige, der etwas bereut. Sie heiratet nämlich, Oliver.»

Er hatte die Jacke angezogen. «Tatsächlich, Liz?» Er knöpfte sie langsam zu, und seine Ruhe brachte sie endgültig außer Fassung.

«Das hat sie dir nicht erzählt? Wie eigenartig! O doch, sie heiratet am Dienstag in London. Einen aufstrebenden jungen Börsenmakler namens Hugh Rashley. Komisch, daß du da nicht selbst drauf gekommen bist. Aber sie hatte natürlich keinen Verlobungsring an, was? Er sei zu groß und sie hätte Angst, ihn zu verlieren, meinte sie, aber das klingt mir doch ein bißchen weit hergeholt. Möchtest du jetzt nicht wissen, woher ich das alles weiß?»

«Woher denn?» fragte Oliver.

«Von meiner Mutter. Sie hat es mir gestern vormittag am Telefon erzählt. Diana Carpenter ist nämlich eine ihrer Busenfreundinnen, deshalb weiß sie natürlich genau Bescheid.»

«Liz, ich muß gehen.»

«Wenn du nun dein Herz schon mal verloren hast», flötete sie, «dann hör auf mich und verlier nicht auch noch den Kopf. Es hat keine Zukunft. Du machst dich nur lächerlich.»

«Entschuldige mich bitte bei deinem Vater. Erklär ihm, was passiert ist. Sag ihm, wie leid es mir tut.» Er machte die Tür auf. «Leb wohl, Liz.»

Sie konnte nicht glauben, daß er sich nicht umdrehen, zu ihr zurückkommen, sie in die Arme nehmen und sagen würde, daß alles nur ein Traum gewesen sei, daß er sie liebte, wie Charles sie geliebt hatte, und daß Caroline Cliburn sich um sich selbst kümmern konnte.

Er tat es aber nicht. Und dann war er fort.

In dem Laster saß ein großer Mensch mit einem roten Gesicht und einer karierten Schirmmütze. Er sah aus wie ein Farmer, und sein Wagen roch nach Schweinekoben, aber er hatte geduldig gewartet, bis Oliver erschien, und obendrein Jody noch Gesellschaft geleistet.

Oliver steckte seinen Kopf zum Fenster hinein. «Entschuldigen Sie, daß ich Sie habe warten lassen.»

«Macht überhaupt nichts, Sir, ich hab's nicht eilig.»

«Es war sehr nett, daß Sie den Jungen hergefahren haben, ich bin Ihnen wirklich dankbar. Hoffentlich war das nicht ein zu großer Umweg für Sie.»

«Ach was. Ich war sowieso auf dem Weg von Strathcorrie durchs Tal. Hab nur einen kleinen Schlenker gemacht, weil der Junge nach Cairney gefahren werden wollte. Er war ganz aufgeregt, und da wollte ich ihn nicht einfach auf der Straße stehenlassen.» Er drehte sich zu Jody und tätschelte ihm mit einer Hand, so groß wie ein Schinken, das Knie. «Aber jetzt hast du deinen Mr. Cairney ja gefunden, Laddie.»

Jody stieg aus. «Vielen, vielen Dank. Ich weiß nicht, was ich gemacht hätte, wenn Sie nicht gekommen wären und mir geholfen hätten.»

«Na was, keine Ursache. Vielleicht nimmt mich ja auch mal einer mit, wenn ich auf Schusters Rappen daherkomme.

Hoffentlich geht's deiner Schwester bald wieder gut, Laddie. Gute Nacht, Sir.»

«Gute Nacht», sagte Oliver. «Und nochmals danke.» Kaum waren die Schlußlichter des Lastwagens hinter der Biegung verschwunden, nahm er Jody an der Hand. «Jetzt komm. Wir haben keine Zeit mehr zu verlieren.»

Während dann auf der Landstraße, von der er jede Kurve kannte, die Scheinwerfer die vorüberrasende Dunkelheit abtasteten, sagte er zu Jody: «Und jetzt erzähl.»

«Also, Caroline war wieder schlecht, und dann hatte sie so Schmerzen, hat sie gesagt, und sie war ganz blaß und hat geschwitzt, und ich hab… die Telefonnummer nicht gewußt… und dann…»

«Nein. Von Anfang an. Von dem Brief, den Caroline an mich geschrieben hat. Der bei mir auf dem Schreibtisch lag.»

«Sie wollte wieder zurück nach London. Aber ich hab gesagt, daß sie doch versprochen hat, daß wir bis Freitag warten, weil Angus da vielleicht zurückkommt.»

«Heute ist Freitag.»

«Genau. Ich wollte bloß noch bis heute warten. Und sie hat gesagt, es ist besser für alle, wenn wir nach London zurückfahren, und dann hat sie den Brief geschrieben, aber im letzten Moment hat sie doch nachgegeben. Sie hat gesagt, also gut, wir übernachten im Hotel Strathcorrie, bloß einmal, also letzte Nacht, und heute müßten wir dann wieder nach London zurück. Ist gut, hab ich gesagt, und dann sind wir ins Hotel, und Mrs. Henderson hat uns Zimmer gegeben, und alles war in Ordnung, bis zum Frühstück, da war Caroline nicht gut, und sie hat gesagt, sie kann unmöglich fahren. Deshalb ist sie im Bett geblieben, und dann hat sie versucht, was zu Mittag zu essen, aber sie hat schon gesagt, ihr wird schlecht, und dann hat sie sich übergeben, und dann hat ihr der Bauch so furchtbar weh getan.»

«Warum hast du Mrs. Henderson nichts gesagt?»

«Ich hab nicht gewußt, was ich machen soll. Ich hab immer gedacht, vielleicht kommt ja Angus, und alles wird wieder gut. Aber er ist nicht gekommen, und Caroline ist es immer schlechter gegangen. Und dann hab ich ganz allein Abendbrot essen müssen, weil sie nichts wollte, und als ich wieder rauf bin, war sie ganz verschwitzt und hat ausgesehen, als ob sie schläft, aber sie war wach, und ich hab gedacht, sie stirbt gleich…»

Seine Stimme überschlug sich fast. Oliver sagte ruhig: «Du hättest mich anrufen können. Die Nummer steht doch im Telefonbuch.»

«Ich hab aber Angst vorm Telefonieren», sagte Jody, und es sprach Bände über das Ausmaß seiner Verzweiflung, daß er das zugab. «Ich verstehe nie, was die anderen sagen, und das Wählen ist auch so blöd.»

«Was hast du dann gemacht?»

«Ich bin runtergelaufen, und da kam dieser nette Mann aus der Bar, der hat gesagt, er fährt nach Hause, und ist raus, und ich bin ihm nach und hab gesagt, daß meine Schwester krank ist, und dann hab ich von Ihnen erzählt, und er hat gesagt, er fährt mich nach Cairney.»

«Und da war ich dann nicht.»

«Nein. Der nette Mann ist ausgestiegen und hat geklingelt und so, und dann ist mir Mrs. Cooper eingefallen. Da hat er mich zu ihr gefahren, und sie hat mich ganz fest umarmt, als sie mich gesehen hat, und gesagt, daß Sie auf Rossie Hill sind. Und Mr. Cooper hat gesagt, er fährt mich hin, obwohl er schon Hosenträger und Hausschuhe anhatte, aber der nette Mann hat gesagt, nein, nein, er macht das schon, er weiß, wo das ist. Und dann hat er mich hingebracht. Und ich bin rein. Und es tut mir leid, daß ich Ihnen die Gesellschaft verpatzt habe.»

Oliver lächelte. «Das war überhaupt nicht tragisch.»

Mittlerweile hatte Jody aufgehört zu weinen. Er beugte sich vor, als könnten sie dadurch schneller vorankommen. Schließlich sagte er: «Ich weiß nicht, was ich gemacht hätte, wenn Sie nicht dagewesen wären.»

«War ich aber. Und jetzt bin ich auch da.» Er streckte den Arm aus und zog Jody an sich. «Das hast du gut gemacht. Du hast alles ganz richtig gemacht.»

Die Straße sauste unter ihnen dahin. Bald hatten sie den Hügel erklommen und waren über den Kamm. Weit unten glitzerten die Lichter von Strathcorrie zwischen den dunklen, stillen Bergen. *Wir kommen*, sagte er zu Caroline. *Jody und ich. Wir kommen.*

«Oliver.»

«Ja?»

«Was meinst du, was Caroline hat?»

«Ich bin kein Fachmann», sagte Oliver, «aber ich tippe auf einen Blinddarm, der dringend raus muß.»

8

Seine Diagnose stellte sich als völlig zutreffend heraus. Innerhalb von zehn Minuten kam der von Mrs. Henderson eilends herbeizitierte Arzt, bestätigte die Blinddarmentzündung, gab Caroline eine schmerzstillende Spritze und ging wieder nach unten, um vom nahegelegenen Cottage Hospital einen Krankenwagen anzufordern. Jody – womöglich aus einem für sein Alter ungewöhnlichen Anfall von Taktgefühl – folgte ihm. Oliver blieb dagegen bei Caroline, setzte sich auf die Bettkante und hielt mit beiden Händen ihre Hand.

«Ich wußte nicht, wo Jody hin ist», sagte sie, schon leicht benommen. «Ich hatte keine Ahnung, daß er dich holt.»

«Ich war wie vom Donner gerührt, als er plötzlich aufgetaucht ist. Ich dachte, ihr beiden seid längst wieder wohlbehalten in London angekommen.»

«Wir sind gar nicht abgefahren. Im letzten Moment habe ich gemerkt, daß ich einfach nicht fahren kann. Wo ich doch Jody ein Versprechen gegeben hatte.»

«Das war sowieso besser. Ein Blinddarmdurchbruch mitten auf der Autobahn wäre nicht besonders lustig gewesen.»

«Glaube ich auch nicht.» Sie lächelte. «Das war wohl die Ursache dafür, daß mir immer so schlecht war. An einen Blinddarm habe ich wirklich nicht gedacht.» Als wäre es ihr gerade eingefallen, fügte sie hinzu: «Ich soll am Dienstag heiraten.»

«Den Termin wirst du kaum einhalten können.»

«Hat Liz dir davon erzählt?»

«Ja.»

«Ich hätte es dir selbst sagen sollen. Ich weiß nicht, warum ich es nicht getan habe.» Sie verbesserte sich: «Ich habe es nicht gewußt.»

«Aber jetzt weißt du es?»

«Ja», sagte sie, die Waffen streckend.

«Caroline, bevor du noch irgendwas sagst, solltest du eines wissen: Wenn schon, dann heiratest du mich und sonst niemanden.»

«Aber heiratest du denn nicht Liz?»

«Nein.»

Sie überlegte mit ernster Miene. «Alles ein ziemliches Durcheinander, was? Das ist typisch für mich. Sogar die Verlobung mit Hugh gehörte zu dem ganzen Chaos.»

«Das kann ich nicht beurteilen. Ich kenne Hugh ja gar nicht.»

«Er ist nett. Du würdest ihn mögen. Er ist immer da und sehr ordentlich und lieb, und ich mag ihn wirklich. Er ist Dianas jüngerer Bruder. Hat Liz dir das auch erzählt? Er hat uns am Flugplatz abgeholt, als wir von Aphros wiedergekommen sind, und sich um alles gekümmert, und irgendwie hat er das dann auch weiterhin gemacht. Und Diana war natürlich sehr dafür, daß wir heiraten. Das ist was für ihren Ordnungssinn, wenn ich ihren Bruder heirate. Dann bleibt alles schön in der Familie. Aber ich hätte mich trotzdem nie einverstanden erklärt, wenn nicht diese elende Geschichte mit Drennan Colefield passiert wäre. Als er mich verlassen hat, hab ich eben gedacht, ich verliebe mich sowieso nie wieder richtig, deshalb ist es nicht so wichtig, ob ich Hugh nun wirklich liebe oder nicht.» Sie runzelte die Stirn. «Klingt das irgendwie logisch?»

«Absolut.»

«Was soll ich nun machen?»

«Liebst du Hugh?»

«Ich habe ihn lieb, aber ich liebe ihn nicht.»

179

«Dann ist das doch kein Problem. Wenn er nett ist, und das muß er ja sein, sonst hättest du nie in eine Heirat eingewilligt, dann wäre es doch gemein, wenn man ihn sein Leben lang an eine Frau kettet, die nur mit halbem Herzen dabei ist. Am Dienstag kannst du ihn jedenfalls schon mal nicht heiraten. Da bist du nämlich viel zu sehr damit beschäftigt, im Bett zu sitzen, Trauben zu futtern, an Blumen zu riechen und dicke Zeitschriften zu lesen.»

«Irgend jemand muß Diana verständigen.»

«Das übernehme ich. Sobald sie dich mit dem Krankenwagen abgeholt haben, rufe ich sie an.»

«Du wirst ihr ganz schön viel erklären müssen.»

«Das ist eine meiner Stärken.»

Mit einer Drehung der Hand verschlang sie ihre Finger in die seinen. «Wir haben uns gerade noch rechtzeitig kennengelernt, was?» bemerkte sie zufrieden.

Oliver hatte plötzlich aus unerfindlichen Gründen einen Kloß im Hals. Er beugte sich vor und gab ihr einen Kuß. «Stimmt», sagte er schroff. «Es war ganz schön knapp. Aber wir haben's noch geschafft.»

Als Caroline schließlich in der Obhut der beiden Männer und einer rundlichen, netten Krankenschwester mit dem Krankenwagen abgefahren war, fühlte er sich, als hätte er ein ganzes Leben hinter sich. Er sah dem Krankenwagen nach, bis die Rücklichter hinter dem kleinen Torbogen verschwanden, und schickte ein leises Stoßgebet zum Himmel. Jody, der neben ihm wartete, nahm seine Hand.

«Danach geht's ihr doch wieder gut, oder?»

«Natürlich.»

Sie gingen ins Hotel zurück – zwei Männer, die viel geleistet hatten.

«Was machen wir jetzt?»

180

«Das weißt du genausogut wie ich.»

«Diana anrufen.»

«Genau.»

Er kaufte Jody eine Cola, setzte den Jungen an einen Tisch vor der Telefonzelle und meldete ein Gespräch nach London an. Zwanzig Minuten später, nach langen und anstrengenden Erklärungen, öffnete er die Tür, rief Jody herein und gab ihm den Hörer in die Hand.

«Deine Stiefmutter möchte dich sprechen.»

«Ist sie böse?» fragte Jody flüsternd.

«Nein. Aber sie will mit dir reden.»

Zaghaft setzte Jody den gefürchteten Apparat ans Ohr. «Hallo? Hallo, Diana.» Langsam breitete sich ein Lächeln über sein Gesicht. «Ja, mir geht's gut.»

Oliver ließ ihn allein und bestellte sich den größten Whisky Soda, den das Hotel aufzubieten hatte. Als er kam, hatte sich Jody schon von Diana verabschiedet und aufgelegt. Strahlend trat er aus der Zelle. «Sie ist überhaupt nicht böse, und morgen fliegt sie nach Edinburgh.»

«Ich weiß.»

«Und bis dahin soll ich bei Ihnen bleiben.»

«Geht das in Ordnung?»

«Ob das in Ordnung geht? Es ist phantastisch!» Sein Blick fiel auf das hohe Glas in Olivers Hand. «Ich habe auf einmal schrecklich Durst. Ob ich wohl noch eine Cola kriege?»

«Aber klar. Bestell dir eine beim Barkeeper.»

Er hatte eigentlich gedacht, daß sie am Ende der Fahnenstange angelangt seien. Daß sie alles erledigt hätten, daß der Tag nicht mit noch mehr Überraschungen aufwarten könnte. Doch da hatte er sich getäuscht. Als Jody sich nämlich auf den Weg in die Bar machte, hörte man ein Auto vorfahren und vor dem Hotel halten. Türen wurden geöffnet und wieder zugeschlagen; man hörte Stimmen, Schritte, und dann sprang die halbverglaste Eingangstür auf, und eine grauhaarige, sehr elegante Dame im rosaweiß gestreiften Kostüm, gewissermaßen im Zuckerstangen-Look, dazu mit glänzenden Krokolederschuhen, trat ein. Unmittelbar dahinter kämpfte sich ein junger, mit Schottenkarokoffern beladener Mann unter Gepolter durch die Schwingtür, da er keine Hand frei hatte, um sie aufzuhalten. Er war groß und blond und hatte ein eigentümlich slawisches Gesicht mit hohen, ausgeprägten Wangenknochen und einem weiten, geschwungenen Mund. Bekleidet war er mit einer blauen Cordhose und einem weiten, zotteligen Mantel. Oliver wandte sich um und sah, wie der junge Mann die Koffer fallen ließ und die Hand nach der Glocke ausstreckte.

Zum Klingeln kam er allerdings nicht mehr. Denn im selben Augenblick kam Jody aus der Bar. Es war wie ein Film, der plötzlich stehenbleibt; ihre Blicke trafen sich, beide standen ganz still und starrten sich an. Und dann machte es klick, und der Film surrte weiter. «Jody!» brüllte der Mann aus Leibeskräften, die nicht unbeträchtlich waren, und bevor man noch bis drei zählen konnte, war Jody quer durch die Hotelhalle geschossen und lag seinem Bruder in den Armen.

Am Abend fuhren alle drei gemeinsam nach Cairney. Tags darauf ließ Oliver die beiden Brüder allein und machte sich auf den Weg nach Edinburgh, um Diana Carpenter vom Flugplatz abzuholen. Von der gläsernen Ankunftshalle im Turnhouse Airport aus beobachtete er die Passagiere, die die Gangways herunterkamen, und erkannte sie sofort, als sie auftauchte: groß und schlank, in einem locker sitzenden Tweedmantel mit einer schmalen Nerzstola um den Hals. Während sie übers Rollfeld ging, stellte er sich nach vorn, um sie gleich empfangen zu können. Er sah die Falte zwischen ihren Augenbrauen, ihren angespannten Blick. Als sie durch die Glastür trat, sagte er: «Diana.»

Sie hatte blondes Haar, das zu einem dicken Knoten am Hinterkopf hochgesteckt war, und sehr blaue Augen. Sofort entspannte sich ihre Miene ein wenig, und sie wirkte erleichtert.

«Sie sind Oliver Cairney.» Sie schüttelten sich die Hand, und dann gab er ihr aus unerfindlichen, aber offensichtlich guten Gründen einen Kuß.

«Caroline?» fragte sie knapp.

«Ich war heute vormittag bei ihr. Sie hat es gut überstanden. Bald ist sie wieder auf dem Damm.»

Er hatte ihr am Vorabend bereits am Telefon alles erzählt, doch nun, während sie Richtung Norden über die Forth Bridge brausten, gab es noch die Geschichte mit Angus zu berichten.

«Er kam genau wie angekündigt gestern abend an, mit dieser Amerikanerin, die er durch die Highlands kutschiert hat. Kaum daß er durch die Tür war, hat Jody ihn entdeckt, und dann gab es ein riesiges Wiedersehen.»

«Ein Wunder, daß sie sich überhaupt erkannten. Sie haben sich jahrelang nicht gesehen.»

«Jody liebt Angus sehr.»

«Das ist mir inzwischen auch klargeworden», sagte Diana etwas kleinlaut.

«War es das vorher nicht?» Er achtete darauf, daß das nicht vorwurfsvoll klang.

«Als Stiefmutter hat man es nicht leicht. Jedenfalls solange die Kinder kleiner sind. Man darf nicht die Mutter spielen, muß aber versuchen, ihnen mehr zu sein als eine Freundin. Und sie waren ja nicht wie andere Kinder. Sie haben sich praktisch selbst erzogen, waren dauernd draußen, liefen barfuß herum und hatten alle Freiheiten. Als ihr Vater noch lebte, funktionierte das auch, doch als er starb, änderte sich alles.»

«Das kann ich verstehen.»

«Ich weiß nicht, ob man das verstehen kann. Ich kam mir vor wie auf Messers Schneide, selbstverständlich wollte ich ihre Natürlichkeit nicht unterdrücken, ihnen aber trotzdem eine solide Basis geben, damit sie auf eigenen Füßen stehen können. Caroline ist so sensibel. Deshalb habe ich ja versucht, ihr die Schauspielschule und eine Karriere am Theater auszureden. Ich hatte einfach Angst, daß sie enttäuscht wird, entmutigt und verletzt. Und als sich alle meine Befürchtungen dann bewahrheitet haben, fügte es sich eben so phantastisch, daß sie Hugh immer mehr liebgewann, denn wenn er auf sie aufpaßt, kann sie nie wieder jemand verletzen, dachte ich. Vielleicht habe ich da... ein wenig nachgeholfen, aber wirklich nur mit den allerbesten Absichten, das versichere ich Ihnen.»

«Haben Sie gestern abend noch Hugh gesprochen?»

«Ja. Ich bin extra mit dem Auto zu ihm gefahren, weil ich es nicht über mich gebracht habe, es ihm am Telefon zu erzählen.»

«Wie hat er es denn aufgenommen?»

«Das weiß man bei ihm nie so genau. Aber irgendwie hatte ich das Gefühl, er hatte so etwas fast erwartet. Nicht, daß er eine Andeutung in dieser Richtung gemacht hätte. Er ist ein sehr beherrschter Mensch, sehr kultiviert. Daß Caroline im Krankenhaus liegt, entschärft die Tatsache, daß die Hochzeit verschoben werden muß, und bis die Verlobung dann offiziell gelöst wird, haben die Leute sich an den Gedanken gewöhnt.»

«Hoffentlich.»

In ganz anderem Tonfall fuhr Diana fort: «Und danach habe ich noch bei Caleb vorbeigeschaut, diesem alten Mond-

kalb. Was ihm an unverantwortlichen Dummheiten nur ein-
fällt – muß er ausgerechnet den Kindern sein Auto leihen! Ein
Wunder, daß es überhaupt bis Bedfordshire gekommen ist,
ohne in die Luft zu fliegen. Und kein Wort hat er mir gesagt.
Ich hätte ihn erwürgen können.»

«Er hat es mit den allerbesten Absichten getan.»

«Wenigstens hätte er sich drum kümmern können, daß der
Wagen erst mal in Ordnung gebracht wird.»

«Er hängt offenbar sehr an Jody und Caroline.»

«Ja. Er hing an der ganzen Familie, an ihrem Vater, Jody,
Caroline und Angus. Ich wollte ja, daß Angus bei uns wohnt,
nachdem sein Vater gestorben war, aber er lehnte eben meine
Art zu leben ab und genauso alles, was ich ihm bieten konnte.
Er war damals neunzehn, und ich hätte ja nicht im Traum
daran gedacht, ihn von seiner verrückten Indienreise abzu-
bringen, sondern nur gehofft, daß er von solchen Eskapaden
irgendwann genug hat und dann zu uns zurückkommt und
ein normales Leben anfängt. Was er aber nicht tat. Das hat
Ihnen Caroline sicherlich erzählt. Er ist nie zurückgekommen.»

«Er hat es mir gestern abend selbst erzählt», sagte Oliver.
«Wir haben uns bis in die frühen Morgenstunden unterhalten. Ich habe ihm gesagt, was Jody am liebsten von ihm
möchte… daß er nämlich nach London zieht und Jody zu
sich nimmt. Und er hat mir erzählt, was er gern tun würde.
Eine Yacht-Chartergesellschaft hat ihm eine Stelle angebo-
ten. Er geht zurück nach Aphros.»

«Weiß Jody das?»

«Ich habe es ihm noch nicht erzählt, weil ich es erst mit
Ihnen besprechen wollte.»

«Was gibt es da zu besprechen?»

«Folgendes», sagte Oliver und fügte klick, klick, klick
Steinchen zusammen, die zueinander paßten, als hätte jemand

185

alles von vornherein so ausgetüftelt. «Ich heirate Caroline. Sobald sie wieder auf dem Damm ist, feiern wir Hochzeit. Ich arbeite in London, und da habe ich auch eine Wohnung, wo wir leben können. Und wenn Sie und Ihr Mann einverstanden sind, wohnt Jody mit bei uns. Ich habe genügend Platz für uns drei.»

Es dauerte eine Weile, bis das zu Diana durchgedrungen war. Dann sagte sie: «Sie meinen, wir sollten ihn nicht mit nach Kanada nehmen?»

«Er mag seine Schule, er lebt gern in London, er ist gern bei seiner Schwester. Er möchte nicht nach Kanada.»

Diana schüttelte den Kopf. «Ich frage mich bloß, warum ich das nie gemerkt habe.»

«Vielleicht, weil er es sich nicht anmerken lassen wollte. Um Sie nicht zu verletzen.»

«Er wird mir ... schrecklich fehlen.»

«Aber er darf hierbleiben?»

«Möchten Sie das denn wirklich?»

«Ich glaube, das möchten wir alle.»

Sie lachte. «Hugh hätte das nie gemacht. Er hätte Jody nicht bei sich aufgenommen.»

«Ich schon», sagte Oliver. «Ich hatte nur einen Bruder, und der fehlt mir sehr. Wenn ich noch mal einen bekomme, dann hätte ich am liebsten Jody.»

Als sie in Cairney die Allee hinaufkamen, saßen Angus und Jody als geduldiges Empfangskomitee auf der Treppe vor dem Eingang. Fast noch bevor das Auto richtig stand, kletterte Diana – nicht im geringsten würdevoll – schon heraus, bückte sich, um den aufgeregten Jody in die Arme zu schließen, und sah dann über seinen Kopf hinweg Angus ins Gesicht. Er blickte argwöhnisch, aber ohne Groll. Sie waren nie einer Meinung gewesen, doch er hatte sich auch ohne sie durchgeschlagen, und jetzt war es ja Gott sei Dank nicht mehr ihre Verantwortung, was er tat.

Lächelnd richtete sie sich auf und ließ sich in die bärenstarken Arme schließen. «Ach Angus», sagte sie, «du unmöglicher Mensch. Wie herrlich, dich wiederzusehen.»

Diana wollte auf dem schnellsten Weg zu Caroline, also lud Oliver ihr Gepäck aus, gab Angus die Autoschlüssel und bat ihn, sie hinzufahren.

«Ich will aber mit», sagte Jody.

«Nein. Wir bleiben hier.»

«Warum denn? Ich will Caroline auch besuchen.»

«Später.»

Sie sahen dem Auto nach. «Warum hast du mich nicht mitfahren lassen?» fragte Jody noch einmal.

«Weil die beiden gern mal allein sein wollen. Sie haben sich doch so lange nicht gesehen. Außerdem möchte ich mit dir reden. Ich hab dir eine ganze Menge zu erzählen.»

«Was Schönes?»

«Das hoffe ich doch.» Er faßte Jody im Nacken und steuerte mit ihm aufs Haus zu. «Also, ich kann mir nichts Schöneres vorstellen.»

Millionen Leser sind süchtig nach ihr. «Die Muschelsucher» und «September» halten sich hartnäckig an der Spitze der «Spiegel»-Bestsellerliste. **Rosamunde Pilcher** schreibt nachdenklich und unterhaltsam, mit Liebe zu den Menschen und all ihren Schwächen und der Liebe zum Detail.
Rosamunde Pilcher wurde 1924 in Lelant in Cornwall ge-boren. 1946 heiratete sie Graham Pilcher und zog nach Dundee / Schottland, wo sie seither lebt.

Die Muschelsucher *Roman*
704 Seiten. Gebunden
Der Roman erzählt die Liebesgeschichte einer außergewöhnlichen Frau. Und er ist eine der großen Familiensagas, wie sie seit langem nicht mehr geschrieben worden ist. Ein Buch, das zum Lachen und Weinen verführt und in dessen Zauber man sich verfängt.

September *Roman*
624 Seiten. Gebunden
«Den allerschönsten Familienroman habe ich gerade verschlungen und brauchte dafür zwei freie Tage inklusive einiger Nachtstunden. Er heißt «September», spielt in London und Schottland und ist einfach hin-rei-ßend.»
Brigitte

Blumen im Regen *Erzählungen*
352 Seiten. Gebunden
Mit «Blumen im Regen» eröffnet die Autorin ihre große, einzigartige Sammlung von Erzählungen. Eine Pilcher, wie wir sie kennen und lieben: treffend, witzig, besinnlich und anrührend.

Als rororo Taschenbücher sind außerdem lieferbar:

Karussell des Lebens *Roman*
(rororo 12972)

Lichterspiele *Roman*
(rororo 12973)

Sommer am Meer *Roman*
(rororo 12962)

Stürmische Begegnung *Roman*
(rororo 12960)

Wechselspiel der Liebe *Roman*
(rororo 12999)

Schneesturm im Frühling *Roman*
(rororo 12998)

Schlafender Tiger *Roman*
(rororo 12961)

Wunderlich

«Ich schreibe für die Millionen von Lesern, die von einem Roman weder Folterszenen noch historische Versatzstücke erwarten, sondern intelligentes Vergnügen. Ich schreibe über Dinge, Landschaften, Gefühle und Beziehungen, die ich sehr genau kenne und die viele genau so erlebt haben.»
Rosamunde Pilcher

Brigitte Schwaigers Erstlings-
roman *Wie kommt das Salz
ins Meer* wurde ein litera-
rischer Bestseller. «Wahrscheinlich liegt in ihrer
erstaunlichen Fähigkeit,
Charaktere und Konflikte
vom Sprachlichen her zu
erfassen und zu präzisieren,
Brigitte Schwaigers spezifische
Stärke.» *Friedrich Torberg,
Süddeutsche Zeitung*
Brigitte Schwaiger, 1949 in
Österreich geboren, unterrich-
tete Deutsch und Englisch in
Spanien, malte und begann
schließlich zu schreiben. Sie
lebt heute in Wien.

Der Himmel ist süß *Eine Beichte*
(rororo 5749)
«Vormittags ein Klosterkind,
nachmittags ein Gassenkind…
Aus kindlicher Perspektive,
von der Autorin streng,
manchmal maliziös
kontrastierend geordnet,
erzählt das Mädchen Gitti
von Lust und Last einer
katholischen Kindheit.»
*Deutsches Allgemeines
Sonntagsblatt*

Liebesversuche *Erzählungen*
(rororo 12783)
Hier träumen Menschen von
Liebe und Versöhnung,
erleben Unterwerfung und
Unterdrückung, und die
Hoffnung bleibt ein Rätsel.
«Meisterlich erzählt…» *Die
Welt*

Mein spanisches Dorf
(rororo 4657)
Brigitte Schwaiger erzählt aus
der Perspektive des Kindes
von der engen und bedrohli-
chen Welt einer ober-
österreichischen Kleinstadt.

Wie kommt das Salz ins Meer
(rororo 4324)
Verträumt und hellwach,
humorvoll und verzweifelt
erzählt eine junge Frau das
Scheitern ihrer Ehe.

Schönes Licht *Roman*
(rororo 12983)
Der Liebes- und Erlebnis-
roman einer jungen Frau,
deren Leben sich grundlegend
verändert, nachdem sie als
Schriftstellerin berühmt
geworden ist - umschwärmt
von den Medien, bewundert
vom Publikum.

Ein Gesamtverzeichnis aller
lieferbaren Bücher und
Taschenbücher finden Sie in
der *Rowohlt Revue.* Jedes
Vierteljahr neu. Kostenlos in
Ihrer Buchhandlung.

P. D. James

Adam Dalgliesh ist Lyriker von Passion, vor allem aber ist er einer der besten Polizisten von Scotland Yard. Und er ist die Erfindung von **P. D. James.** «Im Reich der Krimis regieren die Damen», schrieb die Sunday Times und spielte auf Agatha Christie und Dorothy L.Sayers an, «ihre Königin aber ist P. D. James.» In Wirklichkeit heißt sie Phyllis White, ist 1920 in Oxford geboren, und hat selbst lange Jahre in der Kriminalabteilung des britischen Innenministeriums gearbeitet.

Ein reizender Job für eine Frau

Kriminalroman
(rororo 5298)
Der Sohn eines berühmten Wissenschaftlers in Cambridge hat sich angeblich umgebracht. Aber die ehrfürchtig bewunderte Idylle der Gelehrsamkeit trügt.

Der schwarze Turm *Kriminalroman*

(rororo 5371)
Ein Kommissar entkommt mit knapper Not dem Tod und muß im Pflegeheim schon wieder unnatürliche Todesfälle aufdecken.

Eine Seele von Mörder

Kriminalroman
(rororo 4306)
Als in einer vornehmen Nervenklinik die bestgehaßte Frau ermordet wird, scheint der Fall klar – aber die Lösung stellt alle Prognosen über den Schuldigen auf den Kopf.

Tod eines Sachverständigen

Kriminalroman
(rororo 4923)
Wie mit einem Seziermesser untersucht P. D. James die Lebensverhältnisse eines verhaßten Kriminologen und zieht den Leser in ein kunstvolles Netz von Spannung und psychologischer Raffinesse.

Tod im weißen Häubchen

Kriminalroman
(rororo 4698)
In der Schwesternschule soll ein Fall künstlicher Ernährung demonstriert werden. Tatsächlich ereignet sich ein gräßlicher Tod... Für Kriminalrat Adam Dalgliesh von Scotland Yard wird es einer der bittersten Fälle seiner Laufbahn.

Ein unverhofftes Geständnis

Kriminalroman
(rororo 5509)
«P. D. James versteht es, detektivischen Scharfsinn mit der präzisen Analyse eines Milieus zu verbinden.» *Abendzeitung, München*

rororo Unterhaltung

Wer hat den «Kohlenpott» berühmt gemacht? Klaus Tegtmeyer, Herbert Grönemeyer – und Else Stratmann, die Metzgersgattin, die elf Jahre im Westdeutschen Rundfunk frei von der Leber weg ihre Meinung sagte. Ihre Erfinderin **Elke Heidenreich**, Jahrgang 1943, längst bekannt durch zahlreiche Fernsehauftritte und Talkshow-Moderationen, lebt heute in Köln.

«Darf' s ein bißchen mehr sein?»
Else Stratmann wiegt ab
(rororo 5462)
Ob Else Stratmann über Gott und die Welt losschnattert oder über die Prominenten philosophiert, sie hat immer das Herz auf dem rechten Fleck.

«Geschnitten oder am Stück?»
Neues von Else Stratmann
(rororo 5660)
Else Stratmann nutzt die Gelegenheit, um Briefe an hochgestellte Persönlichkeiten zu verschicken und Telefonate mit ihnen zu führen.

«Mit oder ohne Knochen?» *Das Letzte von Else Stratmann*
(rororo 5829)
Solange die Großen dieser Welt noch soviel Unsinn machen, kann Else Stratmann nicht schweigen.

«Dat kann donnich gesund sein»
Else Stratmann über Sport, Olympia und Dingens...
(rororo 12527)

Also...
Kolumnen aus «Brigitte»
(rororo 12291)
Kolumnen aus «Brigitte» 2
(rororo 13068)

Dreifacher Rittberger *Eine Familienserie*
(rororo 12389)

Kein schöner Land *Ein Deutschlandlied in sechs Sätzen*
(rororo 5962)
Eine bissige Gesellschaftssatire!

Im Rowohlt Verlag ist außerdem lieferbar:

Kolonien der Liebe *Erzählungen*
176 Seiten. Gebunden und
Elke Heidenreich liest
Kolonien der Liebe
literatur für kopf hörer 66030
«Die "Kolonien der Liebe" sind so voll von Einfällen und Phantasie, daß es nie langweilig wird, stets aber auch mehr als bloß kurzweilig ist.»
Lutz Tantow, Süddeutsche Zeitung
«Elke Heidenreich ist ganz offenkundig ein Naturtalent als Erzählerin.»
Stephan Jaedich, Welt am Sonntag